Marketing en Facebook

------ ❧ ------

Una Guía Completa para Crear Autoridad, Generar Compromiso y Hacer Dinero a través de Facebook

Mark Smith

veraz de los hechos y, por lo tanto, cualquier descuido, uso correcto o incorrecto de la información en cuestión por parte del lector será su responsabilidad, y cualquier acción resultante estará bajo su jurisdicción. Bajo ninguna circunstancia el editor o el autor original de este trabajo podrán ser responsables de cualquier adversidad o daño que pueda recaer sobre el lector luego de seguir la información aquí descrita.

Además, la información contenida en las páginas siguientes solo tiene fines informativos, y por lo tanto, debe considerarse de carácter universal. Como corresponde a su naturaleza, el material se presenta sin garantía con respecto a su validez o calidad provisional. Las marcas registradas encontradas en este texto son mencionadas sin consentimiento escrito y, bajo ningún motivo, puede considerarse como algún tipo de promoción por parte del titular de la marca.

Tabla de Contenido

Introducción

Felicitaciones por haber descargado tu propia copia de *Marketing en Facebook: Una Guía Completa para Crear Autoridad, Generar Compromiso y Hacer Dinero a través de Facebook*. Gracias por obtener una copia de este libro.

Los siguientes capítulos tratarán sobre los conceptos básicos que debes conocer para comenzar tu propia estrategia de Marketing en Facebook. Es una de las mejores opciones de marketing que puedes usar para formar realmente una relación con tus clientes y promover tu negocio. Este libro dedicará un espacio para hablar sobre cómo iniciar el marketing en esta plataforma, y ofrecerá consejos, estrategias comprobadas, y perlas de sabiduría para comenzar un negocio poderoso y rentable en Facebook.

Las técnicas compartidas en este libro serán lo más sencillas y factibles posibles, para que hasta los principiantes puedan atreverse a pisar el terreno del mundo lucrativo conocido como el marketing en Facebook.

Existen muchos libros disponibles en el mercado sobre este tema, ¡así que gracias nuevamente por elegir este libro en particular! Se hizo todo lo posible para garantizar que esté repleto de tanta información útil como fue posible. ¡Por favor, disfrútalo!

Capítulo 1: Introducción al Marketing en Facebook

¿Sabías que alrededor de 1090 millones de usuarios inician sesión en Facebook a diario, y que este número asombrosamente crece en un 16% cada año? Ciertamente, es una de las plataformas de redes sociales más populares, y contempla un 77% de todos los inicios de sesión en las redes sociales. No es de extrañar que, entonces, esos millones de ambiciosos emprendedores en línea estén aprovechando este nido de actividad viral relacionada tanto a cuentas personales como comerciales.

De acuerdo a la encuesta realizada por Quicksprout, el 80% de los usuarios de redes sociales en los Estados Unidos prefieren conectarse con otras marcas a través de Facebook.

Facebook es un medio excelente para involucrarse con el público, crear autoridad, dirigir tráfico hacia tu sitio web y aumentar tu credibilidad como marca. Te ayuda a enfocar a tu público, y a transformar a estas personas curiosas en clientes potenciales, creando finalmente una base de clientes leales. Por lo tanto, cualquier negocio o empresa puede aprovechar la influencia de Facebook para impulsar compromiso, mejorar su presencia, y crear una marca sólida en el mercado.

Sí, puede ser un reto dominar todos los matices de esta red social ya que es una plataforma dinámica que siempre agrega, elimina y modifica muchas de sus herramientas. Sin embargo, una vez que avanzas en esta curva de aprendizaje, tu negocio puede beneficiarse muchísimo con el poder de una atractiva página de Facebook.

Míralo de esta manera. Acabas de conocer a un hombre o mujer que te gusta, y deseas pasar el resto de tu vida junto a él/ella. ¿Cuál sería la mejor manera de acercarte a esa persona? Hacerte su amigo. Conocer más sobre lo que le gusta y no le gusta, mientras establecen una amistad significativa en base a sus metas e intereses comunes. Al principio puedes invitarla a tomar un café, establecer una buena relación, y luego salir a cenar o ver películas. Con el tiempo, podrías proponerle matrimonio, y pasar el resto de tu vida junto al hombre/mujer que realmente te atrae.

¿Qué crees que hubiera pasado si tan solo te hubieras acercado a esa persona con apenas conocerla y pedirle que se case contigo? Lo más probable es que piense que estás loco, y simplemente te dé la espalda para nunca más volver a verte en esta vida. Una oportunidad perfecta y completamente arruinada.

Esto resume básicamente el funcionamiento de las redes sociales, y la razón de que sea una increíble plataforma para incrementar tus posibilidades de éxito. Te ayuda a construir una relación con clientes potenciales a través del compromiso y la conversación. No puedes empezar un negocio y esperar que los clientes lleguen por si solos para comprar tus productos. Cualquier persona de negocios astuta se dará cuenta que los clientes compran productos de marcas y personas que les gustan. Tú, al igual que tu negocio o marca, debes ser atractivo para las personas, de manera que puedan relacionarse contigo y tu marca y así puedan comprarla. Esto es algo fácil de lograr a través del marketing de compromiso, la conversación y una constante comunicación con clientes potenciales.

El marketing en redes sociales es muy parecido a salir en una cita. Tu objetivo es maravillar a los clientes a través del compromiso, haciendo que tu marca sea atractiva, generando valor para los compradores potenciales, y al final, transformarlos en clientes de por vida. Facebook te ayuda a crear una base sólida de clientes leales quienes serán tus propios promotores. Ellos difundirán y recomendarán tus productos o servicios dentro de su círculo social.

¿Alguna vez te mudaste de país o ciudad? ¿Cómo fue tu experiencia? ¿Tal vez sufriste un choque cultural? Claro, puede ser desconcertante tener que adaptarse a un nuevo idioma, gente diversa y una cultura diferente. Necesitas conocer las normas sociales aceptadas para encajar o conocer las costumbres y el comportamiento local antes de ganarte la confianza de esta nueva comunidad.

De igual manera funcionan Facebook o cualquier otra plataforma de redes sociales. Hay reglas establecidas, al igual que otras sobreentendidas, que debes aprender si quieres crear una marca atractiva y una empresa rentable.

Una de las mejores ventajas de usar Facebook para tu negocio es que se trata de una plataforma muy versátil, que puede ser canalizada para alcanzar varias de tus metas empresariales. Estas metas van desde aumentar tu tasa de conversión, hasta crear autoridad para impulsar el compromiso de tus clientes. Con sus múltiples herramientas, recursos y funciones, Facebook puede alcanzar virtualmente cualquier meta empresarial.

Imagina que es el equivalente en línea de un enfriador de agua o una antigua plaza del pueblo. Las personas se reúnen cerca de un enfriador de agua en las oficinas (o como solía pasar en las plazas, en épocas de antaño) y hablan de cualquier cosa que les gusta o temas actuales. Hablan sobre detalles increíbles de algo que escucharon en las noticias, o sobre el último episodio de Game of Thrones, mientras se crean vínculos y relaciones fuertes con una simple conversación. Este ritual se vuelve tan interesante que llega un punto donde la gente no puede esperar hasta esa nueva y tan entretenida reunión informal, en el lugar designado.

Si has tenido la oportunidad de asistir a una fiesta en la que no conoces a casi nadie, entonces ya has vivido la versión en vivo de lo que implican las redes sociales o el marketing por Facebook. Intentas identificar a las personas que podrían estar interesadas en ti, o con las que compartes intereses comunes. Hay una introducción preliminar donde puedes conocer gente. Haces bromas, creas una relación con otros, participas en una conversación significativa, y eventualmente prometes mantenerte en contacto. Si eres interesante y carismático, la gente te recordará (marca personal) y esperará verte de nuevo.

Facebook es como una fiesta o un evento social, donde las marcas y los clientes se conocen uno al otro, y se benefician mutuamente. Cuando publicas cosas interesantes y valiosas que tu público sabe apreciar, a la gente le empieza a gustar tu marca. Les parece algo conocido y atractivo, y establecen una relación, lo cual realmente ayuda a tomar la decisión de comprar el producto. Facebook no es solo una plataforma de ventas (aunque también puede usarse con esta finalidad), sino también un recurso poderoso para construir relaciones de todo tipo.

Tomemos como ejemplo dos marcas de jabones recién lanzadas al mercado. El "Jabón A" apenas tiene presencia en las redes sociales o en Facebook. Ellos destinan todos sus recursos en anuncios impresos y carteles publicitarios, esperando que su marca sea reconocida y atractiva para su público meta.

Por otro lado, el "Jabón B" tiene una fuerte presencia en Facebook. Publica información que ha sido investigada exhaustivamente, fácil de compartir, interesante y valiosa, relacionada con la higiene, el cuidado de la piel, y la belleza.

Su público meta adora compartir las publicaciones de la "Marca B", porque los hace parecer inteligentes e informados dentro de su propio círculo social. La página de esta marca está repleta de actividad, con personas que comparten mucha información. Si la gente tiene que elegir entre la "Marca A" y la "Marca B" en el estante del supermercado, ¿cuál marca crees que es más probable que prefieran? La "Marca B" tendrá un público más involucrado con el producto, lo que puede resulta en un valor de notoriedad y reconocimiento de marca más alto. La gente puede identificarse con la "Marca B" de manera personal porque esta se ha esforzado para establecer conexiones personales con su público meta. Este es el verdadero poder de las redes sociales, el cual puede utilizarse para hacer crecer una variedad de negocios y empresas.

Marketing en Facebook

Aprenderás algunas de las mejores estrategias de marketing en Facebook en este libro, las cuales tienen el potencial de impulsar tu negocio hasta las nubes. ¡Acompáñanos en este recorrido, y prepárate para descubrir métodos y tácticas que cambiarán tu vida!

Capítulo 2: Consejos de Marketing en Facebook para Principiantes

Aquí presentamos algunos consejos de Marketing en Facebook con resultados comprobados y efectivos para mantenerte a la vanguardia en la curva de aprendizaje, que serán de utilidad si acabas de empezar en el mundo aparentemente abrumador del marketing en las redes sociales.

1. Crear un Perfil para Empresas y Negocios

Es asombrosa la cantidad de personas que hacen este primer paso en falso y pierden la posibilidad de alcanzar el éxito. Como regla general, nunca hagas negocios a través de una cuenta personal. Crea una página con un perfil comercial que represente efectivamente una marca. Estas páginas no son tan diferentes de a las páginas y perfiles personales, pero tienen una serie de herramientas con las que el público puede promocionar tu marca, como darle un "me gusta" a la página, revisar las nuevas actualizaciones, y comentar tus publicaciones.

Crear una distinguida página para tu marca maximiza las posibilidades de que tu negocio pueda llegar a un número mayor de clientes interesados. Además, según se estipula dentro de los Términos y Condiciones del Servicio de

Facebook, está prohibido utilizar perfiles y páginas personales para cualquier otra cosa que no sean interacciones personales.

De igual manera, si creaste una página usando perfil personal para promover tu marca o negocio, entonces debes considerar la opción de convertirla en una página para empresas. Así, podrás conservar tu cuenta personal y, al mismo tiempo, tendrás una página para negocios.

Ten en cuenta que un perfil puede convertirse en una página para empresas solo una vez. Una vez que hayas convertido la cuenta personal en una página, Facebook transfiere tu foto de perfil junto a la foto de portada a esta nueva página. El nombre de la cuenta personal será el nombre de la página para tu empresa o negocio. Facebook ofrece un montón de herramientas y funciones que ayudan a mover la información del perfil personal hacia la nueva página comercial (Facebook te da 14 días, contando desde la fecha de conversión, para migrar la información de tu perfil a tu nueva página).

Elige amigos de tu perfil personal para que den "me gusta" a tu página automáticamente; sin embargo, las publicaciones hechas en tu perfil personal no serán transferidas a tu nueva página. La página también se puede administrar desde tu cuenta personal.

Para convertir tu cuenta personal en una página para negocios y empresas de Facebook debes:

1. Hacer Clic en https://www.facebook.com/pages/create/migrate o busca el enlace en español.

2. Luego hacer clic en el botón "Empezar" y seguir las instrucciones para migrar exitosamente tu cuenta personal de uso comercial a una verdadera página para negocios.

Tener una página para negocios te ofrece muchas ventajas, incluyendo la oportunidad de identificar con precisión a tus clientes por medio de la publicidad de Facebook y la opción de crear eventos.

2. Crear un URL de Vanidad que sea Llamativo y Fácil de Recordar

Sí, las redes sociales tienen tanto que ver con lo superficial y lo atractivo, como con el contenido y la sustancia. Por más vano que suene, tu página tiene que verse hermosa para despertar la curiosidad de la gente lo suficiente como para hacer clic en ella y explorarla.

Una vez que hayas creado tu página para negocios, Facebook le asigna un número al azar a esta URL (dirección de enlace), lo que significa que tu página tendrá un enlace parecido a este:

facebook.com/pages/businessname/2346578.

Un consejo profesional que debes seguir si quieres aumentar la frecuencia con la que tu página es compartida, o hacer que sea fácil de encontrar, es crear una URL más notoria, llamativa, y fácil de recordar, como:

Facebook.com/Sunshineflorists.

Ve a la "Configuración General de la Cuenta", y transforma el URL de tu página en algo más reconocible desde la opción "Nombre de Usuario".

3. Agrega una Foto de Portada Fácil de Reconocer y Que llame la Atención

Lo siguiente es subir una impresionante foto de portada para crear el efecto visual deseado. Facebook permite subir imágenes de portada con resolución de 828 x 315 píxeles que se mostrarán en la parte superior de tu página de negocios. Elige la mejor foto de portada que llame la atención de tu público meta, captura su atención lo suficiente como para que deseen conocer más sobre tus productos/servicios, y ofrece una experiencia eficiente de navegación para dispositivos móviles.

La foto de portada es lo primero que verán tus visitantes al entrar en tu página ya que ocupa un espacio considerable dentro de la misma y, estratégicamente, aparece en la parte superior. Aquí te ofrecemos algunos consejos que debes tener en cuenta para seleccionar la foto de portada más atractiva para tu página de Facebook.

1. Aunque este dato parece algo obvio, es gracioso la cantidad de personas que lo pasan por alto. Sigue las reglas y pautas de Facebook antes de crear y subir la foto de portada, ya que perder tu página debido a una violación de estas reglas no es exactamente lo más

inteligente que puede pasar a alguien interesado en el marketing.

Lee todos los términos y condiciones antes de subir la foto de portada en tu página para negocios. Recuerda que, por lo general, la imagen de tu portada es pública. Evita que sea engañosa, irrelevante o falsa. Además, no violes los derechos de autor de alguien más al subir fotos de diferentes sitios y fuentes.

2. Asegúrate de que la imagen está optimizada con el tamaño y resolución adecuados. Debe ser 828 x 315 píxeles en una interfaz de escritorio, y 640 x 360 píxeles para dispositivos móviles. Verifica que estas sean las dimensiones de tu imagen cuando estés diseñándola, o terminarás ajustándola varias veces al momento de subirla. Si tu imagen tiene una resolución más pequeña, entonces Facebook la estirará, lo que resulta en una imagen borrosa, poco profesional y de mal gusto. Para hacer más fácil esta tarea, haz una búsqueda rápida en Google y descarga una plantilla para fotos de portada de Facebook.

3. El espacio para fotos de perfil en Facebook dificulta que se vea una sección de la foto de portada a menos que se haga clic en ella. Además de la foto de perfil, el nombre de la página y los botones también ocultan parte de la foto de portada. Recuerda este detalle, y nunca añadas información importante o contenido en estas secciones ya que no podrán ser vistas de inmediato por los usuarios.

Ya que Facebook posiciona la imagen del perfil a la izquierda, es una buena estrategia alinear correctamente tu foto de portada para mantener el equilibrio, y hacer que tu marca/producto esté completamente visible, asegurándote de que se vea más estéticamente elegante. Podrás atraer un mayor enfoque a la marca o producto al alinear correctamente tu imagen de portada de Facebook.

Asegúrate de que la foto sea visible en dispositivos móviles ya que más de la mitad de la base de usuarios visitará la página desde un dispositivo móvil. A diferencia de las computadoras de escritorio, una porción más grande de la portada está oculta por la foto de perfil. El nombre de la página también aparece en la foto de portada, lo que afecta su visibilidad. Recuerda todo esto antes de diseñar tu foto de portada.

4. Intenta incorporar otros elementos de diseño a la foto de portada de tu página de Facebook, de manera que puedas mantener coherencia y uniformidad en la identidad visual de tu marca. Si los colores dominantes en tu logo son el rojo y el amarillo, entonces sube una foto de portada donde el rojo y el amarillo sean los colores predominantes. No trates de verlo como un elemento de diseño aislado o individual. En su lugar, haz que la foto de portada sea parte de un lienzo general más grande donde se equilibren varios elementos de diseño para atraer la mayor atención a tu página de Facebook.

Algunas de las mejores páginas comerciales y de negocios combinan su foto de portada y su foto de perfil, y hacen que se vea integrada, como dos secciones de un lienzo para una sola marca. Esta es una manera sutil pero convincente de transmitir la identidad de tu marca.

4. Agrega una Foto de Perfil Impresionante

Facebook te permite subir una foto de perfil con la que identifiques tu negocio, ya sea una imagen con logotipo de la empresa de tus productos/servicios, o una foto con tu rostro si eres un empresario independiente. Si quieres que tu público meta encuentre y le agrade tu página, elige una imagen de perfil inteligentemente. Recuerda que esta imagen se muestra en tamaño miniatura justo al lado de cada actualización en tu página.

Las dimensiones para la foto de perfil de Facebook son 180 x 180 píxeles (y aparecerán con tamaño 160 x 160 píxeles en computadoras de escritorio).

5. Mejorar la sección "Información"

Cuando las personas buscan más información sobre tu marca/negocio, lo más probable es que se dirijan a la sección "Información" de tu página.

Revisa la página para asegurarte de que esta sección está optimizada para redes sociales y motores de búsqueda al incluir una descripción detallada e impactante sobre tu negocio, utilizando las palabras clave más relevantes para definir tu empresa/marca. Brinda una buena idea a tus visitantes sobre tu página en las primeras líneas de tu descripción. Un breve fragmento sobre la descripción detallada que se encuentra en "Información" se mostrará en el campo "Descripción Breve" de Facebook.

Incluye tantos detalles como puedas, para que los visitantes puedan encontrar información útil en la sección "Información", incluyendo números de teléfono, direcciones físicas (si es necesario), URL o enlaces, correo electrónico, horario de oficina/horario comercial, rango de precios, un enlace al catálogo de productos y servicios, y cualquier otra información relevante.

6. Obtén el distintivo "Muy Receptivo a los Mensajes"

Una de las primeras cosas que debes lograr después de crear una página para negocios es obtener el distintivo "muy receptivo a los mensajes" de Facebook para las páginas cuyo porcentaje de respuesta es del 90%, y con un tiempo de respuesta de 15 minutos o menos durante un período de una semana.

Tener este distintivo hace que los clientes vean tu negocio como algo rápido, comunicativo y confiable, que hace un esfuerzo verdadero por relacionarse con los clientes. Es una muestra de que estás sintonizado con las consultas y preguntas de tu público y que te importan lo suficiente como para dar una respuesta rápida. Incluso si no puedes dar una solución inmediata a tu cliente, intenta mantener el tiempo de respuesta alto, y escríbele en cuanto puedas para hacerle saber que te comunicarás con él una vez que tengas la información. Esto te dará una imagen profesional, amigable y atenta.

7. Incluye Hitos

Utiliza la herramienta "Hitos" en Facebook para destacar los logros y momentos más importantes de tu marca. Los eventos que puedes incluir en la función de hitos son el año en que se lanzó tu marca/negocio, premios ganados en el pasado, lanzamientos de productos, y otros reconocimientos dignos de mención.

Los usuarios verán tu marca como algo más fiable y líder en el mercado cuando muestres tus logros. Básicamente, es una excelente manera de mostrar lo que te enorgullece, manteniendo a los clientes informados sobre la evolución y recorrido de tu marca.

8. Llamada a la acción

Facebook ha incluido lo que se ha considerado como una de las mejores herramientas para las páginas de negocios y empresas. Esta herramienta permite a los usuarios colocar botones de llamada a la acción fáciles, visibles y efectivos en sus páginas. Selecciona uno de los botones de llamada a la acción predefinidos, como "Contactarnos", "Reservar",""Regístrate", "Usar aplicación", y más. Esta es una gran herramienta para vincular la página web relevante o la página de destino con tu página de Facebook.

Cómo Añadir un botón CTA en Tu Página de Facebook para Empresas y Negocios

Inicia sesión y entra en tu página de Facebook.

Haz clic en el botón "Llamada a la acción" que se encuentra en la parte superior, al lado del botón "Me gusta".

No es algo realmente complicado o difícil. Haz que tus clientes puedan navegar con más facilidad y que hagan lo que tú desees al indicarles con estos botones lo que se supone que deben hacer.

9. Crear Pestañas Personalizadas para Tu Página

Facebook ofrece un conjunto de pestañas predefinidas para páginas, como "Información", "Fotos", "Me gusta" y otras opciones similares. Sin embargo, también puedes crear pestañas personalizadas que pueden realizar funciones similares a las páginas de inicio dentro de la página. Las pestañas se encuentran en la parte superior de tu página. Por ejemplo, si deseas invitar tus clientes a participar en un sorteo o concurso, crea una pestaña personalizada como "entrar al concurso", o "enviar su entrada" para tal fin. Haz un enlace de estas pestañas a la sección de "subir entradas" en tu página.

Cómo crear pestañas personalizadas para páginas

Inicia sesión en tu página de negocios. Haz clic en "Configuraciones".

Luego, selecciona en la lista la opción "Añadir una pestaña".

10. Publica el Mejor Contenido de tu Blog

La mayoría de los negocios y empresas dependen de las redes sociales para ofrecer a su público meta un flujo constante de contenido valioso e interesante. Evita llenar la línea de tiempo con cada publicación de tu blog. Elige cuidadosamente el mejor contenido: que sea entretenido, útil, relevante e informativo.

Varias plataformas de blogs ofrecen una función en la que el software actualiza automáticamente cada nueva entrada y la publica en tu página. Todo lo que necesitas hacer es sincronizar la página de tu blog con tu página de Facebook y así publicar contenido de manera automática. Sin embargo, es mejor publicar contenido que atraiga a tus fans y clientes, y así mantenerlos interesados en tu marca.

Además, cada vez que publicas un enlace de tu blog en Facebook, la página incluye una breve descripción acompañada de una imagen. Esta descripción se extrae de la meta descripción de tu blog (la descripción que se creó específicamente para aparecer como la descripción de la página, en la vista previa de los resultados del motor de búsqueda). Asegúrate de que la meta descripción sea siempre relevante, precisa y esté bien escrita.

S in una meta descripción correctamente escrita, Facebook simplemente presentará el texto que consiga, sin ningún tipo de palabras clave y frases relevantes, lo cual representa una oportunidad desaprovechada. No dejes que esto suceda, ya que será un obstáculo para la experiencia general del usuario y la publicación no atraerá clientes a tu negocio.

Resume todas tus publicaciones en 155 caracteres o menos, escribiendo una meta descripción emocionante y atractiva. No desperdicies este valioso espacio de promoción al incluir enlaces absurdamente largos que lleven a tu publicación. La dirección de enlace miniatura es suficiente para enviar a los lectores a la publicación en tu blog. Usa este espacio inteligentemente para despertar la curiosidad del lector o llamar su atención.

Muchas personas nuevas al mundo del marketing creen erróneamente que publicar con frecuencia aumenta la visibilidad de sus publicaciones. Los algoritmos de Facebook no son tan simples. Todo se reduce a la calidad de las publicaciones y al compromiso que atrae. Publicar con más frecuencia no te ayudará a llegar a más personas a menos que tu público meta se encuentre en zonas horarias diferentes y tengas un objetivo claro al publicar con frecuencia.

Las publicaciones de baja calidad que reciben poca respuesta terminan afectando negativamente tus estadísticas, e incluso pueden reducir tu visibilidad entre tus seguidores. Facebook cuenta con métodos y estrategias eficientes para filtrar las publicaciones irrelevantes y de baja calidad. Te aconsejo que solo publiques contenido de alta calidad, y mira cómo se disparan tus números.

Recuerda que la calidad es mejor que la cantidad, por lo que debes ser selectivo con tus publicaciones. No agobies a tu público meta redactando demasiados artículos y publicaciones. Por el contrario, tómate un tiempo para crear publicaciones maravillosas que tu audiencia querrá compartir dentro de su círculo social.

Acompaña tus publicaciones con imágenes y videos de alta calidad para aumentar su atractivo. Las publicaciones en Facebook con imágenes visuales interesantes y relevantes perciben un compromiso 2,3 veces mayor que las publicaciones sin imágenes.

Incluso si tienes un blog con varias entradas, optimízalo para Facebook agregando nuevos videos e imágenes profesionales. Cualquier estrategia de Facebook u otras redes sociales, que sea a prueba de tontos, incluye imágenes, videos, infografía, tablas, gráficos y capturas de pantalla que generan un gran valor para tu audiencia.

Sigue la regla general 80-20 para las redes sociales, donde 80 representa el porcentaje de tus publicaciones tienen contenido no promocional (destinadas a aumentar la participación y establecer relaciones), mientras que el 20 representa el porcentaje de las publicaciones cuyo contenido está dirigido a promocionar tus productos o servicios.

La realidad es que la gente detesta que se les venda algo en las redes sociales. Lo ven más como una plataforma para la discusión, la comunicación y para establecer relaciones. Por lo tanto, tu estrategia para las redes y medios sociales debe ser sutil y estar más orientada a la construcción de una marca y a establecer relaciones, que eventualmente se convertirán en clientes leales.

11. Enfócate en Generar Valor

Como cualquier vendedor en Internet o en redes sociales te dirá, primero debes generar valor para recibir negocios de tus clientes. Inicialmente, el foco está solo en establecer relaciones, credibilidad y autoridad (liderazgo). No te enfoques en la venta agresiva durante las primeras etapas de tu negocio.

Por ejemplo, si tu negocio es una tienda electrónica de productos orgánicos, la estrategia de marketing estándar para ti sería publicar imágenes de tus productos e instar a los clientes a comprarlos. Sin embargo, así no funciona el marketing en Facebook o en otras redes sociales.

En lugar de vender tus productos con agresividad, crea entradas en tu blog sobre recetas sanas y orgánicas usando los ingredientes que vende tu tienda. Comparte los enlaces de las recetas en tu página. En la parte inferior de estas recetas, menciona sutilmente que estos productos e ingredientes pueden adquirirse fácilmente en tu sitio web.

Teniendo en cuenta el ejemplo anterior, procura que tu estrategia de contenido incluya una variedad de recetas para los que comen sanamente o los aficionados a la salud, algo parecido a "20 Almuerzos Saludables y Fáciles De Hacer Para Niños", o "Batidos Simples y Saludables para Diabéticos", o "15 Saludables y Deliciosos Platos de Cuchara con ingredientes Orgánicos". ¿Ya has entendido de qué va el asunto?

La página de Facebook de Oreo es muy popular porque se relacionan con sus fans al ofrecerles deliciosas, innovadoras y divertidas recetas de Oreo, acompañadas con atractivas imágenes. También usan un montón de etiquetas modernas e inteligentes. ¿Quién puede resistirse a tal estrategia?

Los usuarios de redes sociales leen con entusiasmo contenido que tiene gran utilidad o valor informativo. También les encanta compartir contenido que ayuda a formar una imagen educada e inteligente ante sus amigos. Recuerda publicar solo contenido valioso, que ha sido redactado inteligentemente y es útil, y las personas estarán más que felices de correr la voz.

Dove es otra marca que ha resuelto su propia estrategia en las redes sociales de una manera brillante. Crearon un video hace un par de años con el que consiguieron miles y miles de "Me gusta" y aproximadamente medio millón de vistas. La marca apenas fue mencionada en el video. Dove simplemente se centró en contar historias emotivas con las que hacen se pudieron acercar a sus clientes.

Contaron historias sobre mujeres comunes y animaban a sus fans a etiquetar a las mujeres que los inspiraban, lo que ayudó enormemente a la marca a hacer correr la voz, sin necesidad de promocionar agresivamente sus productos. Las mujeres se identificaron con estas historias y se relacionaron con la marca en un nivel emocional y nostálgico.

12. Imágenes

¿Sabías que las publicaciones de Facebook con imágenes reciben un 84% más de clics en el enlace que aquellas sin imágenes? Es algo muy simple. Presenta a la gente cosas que se vean impresionantes, que sean fáciles de entender y provoquen alguna respuesta emocional.

Cuenta tus historias a través de imágenes. A esto se le llama humanizar tu marca. A la gente le encanta saber lo que sucede detrás de los negocios y marcas. Les gusta pensar que están comunicándose con personas reales, que realmente se preocupan por ellos, y no con robots de fábrica.

Crea secciones de la vida diaria, o sobre cómo manejas tu negocio o empresa. Preséntales a tus empleados. Dales un vistazo sobre el proceso de creación de los productos que usan.

Las imágenes de personas reales ayudan a que los demás se relacionen con tu marca. Al usar imágenes para publicaciones en Facebook, fíjate en las caras de las personas. Las imágenes de perfil donde se ven los rostros funcionan muy bien para las publicaciones de Facebook.

En lugar de usar imágenes del producto, utiliza imágenes sobre estilos de vida. Necesitas aprovechar las aspiraciones de tu público mostrándoles el estilo de vida que representa tu producto/servicio. Usa imágenes que evoquen una fuerte sensación de nostalgia. Crea galerías de imágenes y collages si desea compartir varias imágenes para que sea más fácil para el público acceder a todas ellas en una sola publicación, en lugar de crear varias publicaciones que resulten confusas.

Utiliza imágenes brillantes, de alta resolución y llamativas. Las imágenes poco iluminadas, de baja resolución y con colores apagados no reciben mucha tracción en las redes sociales.

Claro, la gente puede expresar que están molestos por ver una y otra vez fotos de dónde están cenando sus amigos, o de las actividades que realizan. Sin embargo, el hecho es que aún así están viendo esas imágenes. Según el portal Social Media

Examiner, las imágenes representan el 87% del contenido compartido en Facebook.

Solo explora algunas páginas de negocios y descubrirás cómo la mayoría de ellos comete el error de usar imágenes del montón, en lugar de fotos originales. Usa fotografías reales y naturales en lugar de imágenes genéricas. Las publicaciones que tienen fotos originales y reales se perciben como algo más orgánico, con lo que el cliente se puede identificar.

Otro consejo inteligente es integrar tus imágenes de Instagram en tu feed de noticias de Facebook.

Entra a las opciones de configuración en tu cuenta de Instagram y vincula tu cuenta de Facebook. Cada vez que tomes una foto, haz clic en el ícono de Facebook para compartir esas imágenes en tu feed de noticias.

13. Haz Contenido Que sea Fácil de Compartir

Es una conocida perla de sabiduría dentro de los círculos de marketing en Internet que si preparas algo muy complicado para tu público, es menos probable que lo haga. Esto explica la razón de que todo se presente en bandeja (enlaces de "haga clic aquí", "visite nuestra página", "compre ahora", etc.)

Las personas, por lo general, tienen menos tiempo y muy poca atención cuando navegan por Internet. No perderán tiempo tratando de descubrir cosas si parece complicado o si no saben qué medidas tomar.

Haz que compartir tus publicaciones sea algo divertido para ellos, con el uso de botones para "Compartir" o "Me gusta" que se destaquen en el blog de tu página. Usa el botón "Seguir" de Facebook para aumentar tu alcance. A las personas les puede gustar tu página con un solo clic, y ver al mismo tiempo la cantidad total de "Me gusta" recibidos por la página. Esta estrategia da algo de credibilidad a tu página, y también es una prueba social para tus clientes potenciales y existentes.

Al agregar los botones para compartir contenido de Facebook en redes sociales, se motiva a la audiencia de tu página a conectarse y comunicarse con tu marca en Facebook, al tiempo que se aumenta el alcance de tu contenido al compartirlo.

Con la casilla "Me gusta" de Facebook, los visitantes pueden ver tu conteo de seguidores y revisar el contenido publicado recientemente.

14. Programar las Publicaciones por Adelantado

Una de las maneras más eficientes de administrar una página de Facebook para negocios y empresas es programar tus publicaciones con antelación, ya sea cada semana o al mes. Hay muchas cosas de último minuto que suceden y pueden distraernos de un horario fijo. Esto puede suponer un desafío para la búsqueda de publicar un flujo constante de contenido relevante e interesante, diseñado para atraer a tu público meta.

Una vez que hayas identificado el mejor momento para publicar en Facebook, usa aplicaciones como HubSpot, Buffer o Hootsuite para programar tus publicaciones y subirlas a una fecha y hora en particular, semanalmente o mensualmente. Puedes crear un calendario editorial para todo el mes.

Considera programar festivales, vacaciones y eventos, etc. durante el mes mientras planificas publicaciones más atractivas o virales por adelantado. Las publicaciones semanales se pueden programar al mismo tiempo, por adelantado, todas las semanas.

Sin embargo, una vez dicho esto, recuerda mantener un equilibrio entre las publicaciones pre-programadas y oportunas, para evitar convertir tu página en una máquina automatizada donde se pierda por completo el trato humano. Asegúrate de crear y preparar algunas publicaciones en tiempo real para interactuar con los fans o entablar una conversación para saber su opinión sobre alguna novedad reciente.

Cómo programar publicaciones por adelantado

Para empezar, escribe una publicación como lo harías normalmente.

Haz clic en el símbolo con una flecha hacia abajo, que se encuentra junto al botón de "Publicar", y selecciona Programar.

Debajo de "Publicación", selecciona la fecha y la hora en la que deseas realizar la publicación.

Haz clic en Programar

También puedes eliminar o hacer cambios a publicaciones ya programadas.

Haz clic en "Editar" para hacer cambios a tu publicación o haz clic en el ícono con la flecha hacia abajo para reprogramar o eliminar la publicación.

Capítulo 3: 13 Increíbles Estrategias para Impulsar Compromiso

No es de extrañar que Facebook se encuentre entre las plataformas de marketing de contenido preferidas. El sitio de redes sociales tiene una gran cantidad de características nuevas, dinámicas y útiles que pueden integrarse muy bien con tu estrategia de promoción general. Si, sabemos que puede utilizarse para incrementar el compromiso, mejorar la autoridad y crear marcas. Tu medio millón de fans tendrá muy poca importancia si no están haciendo nada en la página.

¿Has pensado alguna vez por qué algunas publicaciones se hacen virales, mientras que otras pasan desapercibidas? No, no se trata de tener suerte, sino el momento en que haces la publicación, las palabras que utilizas y lo que publicas.

Los usuarios de Facebook reaccionan bien ante publicaciones sobre tecnología, viajes/estilo de vida, salud, positivismo y deportes/juegos. Un consejo profesional: si puedes incluir palabras como "por qué", "cómo" o "la mayoría" en tus publicaciones, es probable que obtengas una mayor cantidad de "me gusta", comentarios, y veces compartido.

La pregunta del millón de dólares es: ¿Cómo puedes incrementar el compromiso a través de publicaciones en Facebook?

Aquí verás 12 increíbles consejos que han sido comprobados y pueden ayudarte a impulsar el compromiso de tu público.

1. Organizar Concursos

Esta es una de las mejores estrategias para mejorar el nivel de compromiso en tu página comercial de Facebook. Es muy sencillo, pero los especialistas en marketing no logran canalizarlo efectivamente. La emoción de ganar algo hace que la gente haga algo, lo cual puedes usar para tu beneficio. Utiliza las recompensas, premios y regalos como incentivo para crear un revuelo sobre tu marca.

Uno de las más grandes ventajas para los comerciantes es que por un precio comparativamente bajo, puedes ganar mucha publicidad y hacer que conozcan tu marca. Si se hace correctamente, puede ser una jugada brillante.

¿Cómo crear un concurso en Facebook?

1. Selecciona el Premio Adecuado

El premio es lo que hará que tu concurso sea un éxito. Haz que sea relevante y apropiado para tu negocio. Un consejo profesional es ofrecer a tu público tarjetas de regalo para tu empresa o negocio, lo que les da oportunidad de interesarse en tus productos/servicios.

Ofrecer a tus clientes iPads y iPhones gratis hará que les gusten los iPads y iPhones, y no los productos o servicios que ofreces. Quizás le den "me gusta" o compartan tu publicación por el interés de ganar un iPhone sin estar realmente interesados en tus productos o servicios.

En cambio, si ofreces tarjetas de regalo u obsequios relacionados con tus productos o servicios, tendrás a un montón de clientes interesados en probar tus productos. Por ejemplo, si vendes productos para el cuidado de bebés y ofreces cupones de regalo para ello, tendrás una gran cantidad de padres interesados en probar tus productos que darán "me gusta" a tu página, o compartirá tus publicaciones.

Dar premios que no tienen relación con tus productos o servicios no te ayudará a mejorar las conversiones. Sin embargo, una gran cantidad de consumidores usando tus productos puede ayudar a correr la voz sobre ellos, especialmente en las etapas iníciales de tu empresa. También puedes incluir en las tarjetas de regalo descuentos u obsequios en compras futuras, alentando a los clientes a comprar en tu tienda.

2. Facilita la Participación

Tu objetivo es incrementar el número de seguidores/fans e impulsar compromiso en tu página comercial. Haz que sea sencillo para las personas participar en el concurso para obtener un mayor nivel de respuesta. Puedes solicitar a los usuarios de redes sociales que le den "me gusta" a tu página, que compartan la publicación sobre el concurso, y mencionen a amigos que puedan estar interesados en el concurso poder entrar al concurso/sorteo. Escoge al ganador haciendo un sorteo en vivo.

Otra forma popular de hacer que las personas participen en concursos es enfocándote en contenido generado por el usuario. Además, esto es una estrategia inteligente para llenar la pagina comercial de contenido interesante, publicado por los mismos usuarios. Pide a los clientes que participen en el concurso publicando imágenes, videos o consignas para entrar. Crea una etiqueta y deja que utilicen la etiqueta cuando publiquen contenido en tu página. El público podrá votar por su entrada preferida.

Incluye en tu publicación una breve descripción sobre como participar en el concurso, y deja un enlace a una página web externa para más detalles sobre las condiciones y reglamentos, y así evitar tener demasiada información en la publicación del concurso en Facebook.

3. Título Llamativo

Un titulo corto, pegajoso y de llamada a la acción ayuda a maximizar la respuesta a tu concurso. Por ejemplo, "Ingrese para Ganar una Tarjeta de Regalo de 60$ para Nuestra Fabulosa Línea de Jabones Artesanales". Es simple, descriptivo y llamativo. Le indica a los visitantes lo que deben hacer y el premio que les espera de forma directa.

También puedes crear una página para ingresar al concurso, y solicitar que ingresen su información de contacto. Esto te ayudará a crear una lista de correos de las personas que pueden estar interesadas en conocer más sobre tus productos y servicios en el futuro. Envía a esta lista las actualizaciones, ofertas de temporada, y boletines informativos para mantenerlos interesados.

4. Imágenes

Utiliza imágenes grandes de alta calidad para persuadir a las personas a ingresar en el concurso. Si estás obsequiando tarjetas de regalo, usa una imagen grande de la tarjeta de regalo indicando su valor con una fuente grande. Además, incluye imágenes de productos que fueron comprados por la cantidad dada en la tarjeta de regalo.

2. Haz Publicaciones que Generen Respuestas

Plantea una pregunta sencilla pero que llame la atención para atraer a tus fans a la conversación. Por ejemplo, si manejas una marca sobre viajes/estilo de vida/ocio, publicar imágenes de playas o montañas con una descripción sencilla como: "Dale 'me gusta' si quieres pasar un día relajado en esta isla tropical" o "Dale 'me gusta' si deseas un helado sundae ahora mismo". Las preguntas sencillas que pueden responderse con "sí" o "no" pueden ayudar a generar rápidamente tracción en tu publicación de Facebook.

Decir a las personas lo que deseas que hagan aumentará el compromiso en tu página. Haz preguntas abiertas e interesantes, como: "¿Si pudieras irte a cualquier lugar que elijas, a dónde irías?", o "¿Qué comidas estás loco por comer en este momento?" Recuerda mantener tus publicaciones interesantes y relevantes para tu página.

¿Cuál es tu auto de lujo preferido?

Nunca puedes tener suficiente ___________

¿Cuántas veces dejas que el teléfono suene antes de contestar la llamada?

Preguntas como estas entablan conversaciones estimulantes y respuestas increíblemente graciosas. Usa tu imaginación al formular las preguntas para atraer a tus fans y que sean parte de la conversación.

Crea publicaciones que involucren a las personas. Si estás indeciso con respecto a alguna estrategia o plan, crea una encuesta para obtener una retroalimentación de tu público meta. Con ella obtendrás información rápida sobre qué están buscando los clientes, además de impulsar el compromiso de tu página. Los fans podrán hacer publicaciones testimoniales de tus productos o servicios acompañadas de imágenes.

Si existe un problema actual o controversia relacionada con tu área, pide a tus clientes que compartan su opinión al respecto. Recuerda mantener el debate sano y amistoso, dejando las pautas claras desde el principio.

Insta a las personas a compartir sus recuerdos, momentos y experiencias, o haz algo provocador y formula una pregunta controversial. Haz preguntas directas o motiva a las personas a compartir sus consejos favoritos relacionados con tus productos/servicios.

Haz que las personas muestren lo bien que se sienten con los productos, alentándolas a compartir ideas innovadoras sobre las diferentes maneras en las que utilizan tus productos. Seguramente les gustará ser el centro de atención o que los demás hablen de ellos.

A mí me encanta pedir a los fans de mi página que decidan entre dos opciones. Pueden escoger su favorito entre "A" y "B", o seleccionar entre "X" y "Y". Esto puede crear una agradable división entre los fans (es algo malvado pero de una forma divertida), que genera aún más debate y actividad en los comentarios. Utilizar temas controversiales actuales está bien siempre que no toques asuntos delicados, como religión y política.

Ya sea que tu publicación reciba uno o muchos comentarios, intenta responder a cada uno individualmente. Facebook te permite dar "me gusta" a los comentarios, lo cual es una excelente forma de reconocer sus respuestas. Claro, será todo un reto responder a cientos de comentarios. Sin embargo, hacer ese esfuerzo adicional te hará ver como una organización a quien le importan sus clientes y que valora a sus fans/clientes.

3. Publica Contenido Compartible

Las infografías y videos son los formatos de contenido en redes sociales más populares del momento. Si puedes crear una sola infografía o lista resumiendo todo lo que la gente conoce sobre un tema, nada evitará que tus fans lo compartan. Las listas de verificación o notas importantes son increíbles desde una perspectiva viral.

Si tu negocio tiene relación con equipo de viaje, puedes crear una lista de verificación práctica para mochileros, o si eres un especialista en marketing por internet, una guía rápida de contenido o temas (o titulares) puede hacer el trabajo.

Has que sea una propuesta interesante para tu público meta compilando información que tome tiempo para investigar, en un formato fácil de comprender. Por ejemplo, puedes hacer una guía útil para viajeros que visitan un destino en particular incluyendo toda la información importante en una sola infografía.

La gente no tiene el tiempo necesario para investigar y anotar todas las piezas de información importante en un solo lugar, por esto las infografías son tan populares. Puedes crear una infografía usando una aplicación como Canva o contratar a alguien para que lo haga por ti.

4. Interactúa con Otras Empresas

Nada te impide involucrarte con otras páginas, especialmente cuando existe una correlación de productos/servicios o un público compartido. Por ejemplo, si una empresa relacionada con joyas de matrimonio publica algo acerca de bodas, entonces puedes aportar algo si eres un florista, fotógrafo de bodas o un negocio de pasteles de boda, siempre y cuando no estés compitiendo directamente con la marca ni haya conflicto de intereses.

Sin embargo, recuerda no hacer spam en otras páginas de negocios o empresas en el panorama de Facebook con tus publicaciones de promoción. Debes ser sutil e interactuar de forma natural y significativa. Añade comentarios bien investigados, detallados y que hagan pensar a la comunidad para establecer autoridad. Expondrás tu marca a un público meta mayor si se trata de una página popular.

¿A quién no le beneficia un poco de publicidad cruzada y sinergia? Motiva a otras páginas dentro de tu industria a comentar/publicar en tu página también. Si pueden llegar a un buen acuerdo de intercambio, ambas páginas pueden incrementar su alcance orgánico y disfrutar la exposición a una base de clientes potenciales mayor. También puedes crear publicaciones de invitados con enlaces a otros blogs, que pueden compartir en sus páginas de negocios y así incrementar tu autoridad, credibilidad y reconocimiento de marca.

Las recopilaciones son otra forma increíble de hacer que expertos compartan tus publicaciones en sus páginas. Pide a las personas influyentes en tu área que compartan sus mejores consejos sobre algún tema. Haz una publicación con estos consejos mencionando a estos influencers, y logra que compartan la publicación en sus páginas.

Todos adoran ser vistos como expertos entre sus admiradores y público, lo que significa que los influencers buscarán compartir estas publicaciones (catalogándolos como expertos) en su feed de noticias, dando así a conocer tu marca entre los fans/seguidores de un grupo de expertos o páginas de empresas o negocios populares.

Si encuentras imágenes realmente interesantes en el feed de noticias de tus fans, pide permiso para publicarlas y recuerda dar crédito por ellas. Las redes sociales se basan en una fuerte economía de intercambio, lo que significa que no debes evitar publicar contenido relevante, valioso y útil de otros participantes en el mismo campo.

Un consejo profesional para obtener muchos "me gusta" orgánicos en tu página, es habilitar las "Sugerencias de Página Similares" en tu página. Ve a "Configuración" y habilita la opción "Sugerencias de Página Similares". De esta forma, cuando a las personas les gusten las páginas similares a la tuya, Facebook les sugiere automáticamente tu página. Pocos están familiarizados con esta función, pero puede ayudarte con algunos "me gusta" orgánicos de gente interesada.

5. Promociona las Publicaciones

Facebook ofrece a los administradores/propietarios de páginas de empresas o negocios la opción paga de promocionar su publicación para generar más compromiso en publicaciones específicas. Puedes promocionar las publicaciones entre los seguidores existentes y sus amigos (lo que significa que la publicación será visible para un mayor número de fans en tu feed) o seleccionar un público predeterminado (de acuerdo a la demografía, intereses, pasatiempos y las páginas que les hayan gustado) para promocionar tus publicaciones. Estas publicaciones se mostrarán en el feed de noticias del público seleccionado, lo que significa un mayor compromiso para tus publicaciones.

Promociona tus publicaciones de blog más populares, que hayan tenido un tráfico web significativo. Haz estas publicaciones en tu página y usa la opción de publicación promocionada. No es necesario invertir miles de dólares en publicidad. Puedes comenzar con solo $25, enfocando la publicación a personas que haya gustado tu página y a las personas en su lista de amigos. Puede ser suficiente para darle un ligero impulso a tus publicaciones.

Aunque las probabilidades de obtener miles de "me gusta" o que sea compartido, las publicaciones promocionadas pueden aumentar el compromiso y entablar conversaciones. Puede hacer que las personas inicien una conversación, y al mismo tiempo dar a conocer tus productos o servicios. Esto puede aumentar tu alcance orgánico dentro de sus círculos. Utiliza esta estrategia para blogs de información de alta calidad, en los que ofrezcas soluciones claras a los problemas más urgentes que enfrentan las personas. Funciona bien para publicaciones que responden a las preguntas más interesantes sobre un tema, o que ofrecen a las personas recompensas de gran valor.

¿Cómo puedes buscar el contenido más popular de tu blog? Ve a Google Analytics. Selecciona "Comportamiento", luego "Contenido del Sitio y Todas las Páginas". Revisa las métricas de cada página para conocer tus publicaciones más populares.

¿Cómo impulsar las publicaciones en Facebook? Aquí presentamos una guía práctica para comenzar.

Ve a tu página para empresas o negocios.

Selecciona la publicación que deseas promocionar (recuerda elegir solo publicaciones de alta calidad que hayan demostrado su popularidad en tu página, o publicaciones que crees que puedan ser populares).

Selecciona el botón "Promocionar Publicación" localizado justo arriba de la publicación. Si el botón no está activado, no podrás hacer clic, lo que simplemente significa que esta publicación en particular no se puede promocionar. Puede haber muchas razones, como que la página comercial no esté publicada, o que no tenga suficientes derechos de administrador para promocionar una publicación, o puede que debas configurar el método de pago.

Ve al campo "Público". Selecciona cuidadosamente entre las opciones al público que deseas llevar tu publicación. También hay una opción para "Crear Público". Puedes empezar otra vez enfocándote en los usuarios según su edad, intereses, género y comportamiento.

Luego haz clic en el menú desplegable para elegir un presupuesto y promocionar tu publicación. Puedes seleccionar un presupuesto predefinido u optar por la opción "Elegir Presupuesto" e ingresar la cantidad que desees.

Elige la duración que deseas para promocionar tu publicación. Ingresa la fecha de inicio y finalización de la publicación promocionada en la sección "Período de Circulación".

Selecciona entre las opciones tu método de pago preferido. Si no has realizado promociones pagas en Facebook anteriormente, debes agregar un método de pago a tu cuenta de Facebook Ads.

Por último, haz clic en "Promocionar".

6. Sé Persistente

No creerás la cantidad de personas que se rinden al crear páginas para empresas o negocios estables en Facebook, que habrían sido un éxito rotundo simplemente modificando un poco su estrategia. No esperes que el éxito llegue de la noche a la mañana. No tendrás una multitud de personas, un millón de "me gusta" y miles de "compartidos" con solo crear una página. Muchas de tus primeras publicaciones apenas serán capaces de generar compromiso. Sigue publicando una variedad de cosas para probar qué funciona mejor para tu mercado.

Si un tipo de publicación específica no ha funcionado bien, escoge otra. Ve lo que otras empresas en tu área están haciendo con éxito e incorpora esto a tu estrategia de contenido para redes sociales.

Si bien los especialistas en marketing en redes sociales también harán énfasis en hacer publicaciones relevantes (y aquí estoy incluido), también es bueno divertirse de vez en cuando. Experimenta con una cita divertida o un meme digno de reír con el que tus fans puedan identificarse, o haz preguntas de temas variados.

No te enfoques únicamente en tus productos o servicios. ¡Ayuda a tus fans a que se entretenga! Puede que no consigas hacer negocios a través de ese divertido meme, pero te hace ver agradable y accesible. Abrirá el camino para otra publicación, que puede incluir un enlace a tu página web.

La gente usa Facebook generalmente para hacer conexiones y explorar publicaciones informativas y entretenidas. Prueba diferentes tipos de publicaciones para medir las que obtienen una respuesta máxima de tu público meta o que los hace interactuar.

Facebook ofrece algunos de los mejores datos y analítica sobre el público de tu página. Ubica patrones y tendencias, y reinventa la estrategia de acuerdo con esta valiosa información. Por ejemplo, si observas un gran incremento de fans en la semana, mira con detenimiento tu contenido publicado recientemente. Descubre una razón clara para estas tendencias y continúa publicando más de lo mismo si está funcionando.

¿Dónde reviso las estadísticas de mi página comercial de Facebook?

Inicia sesión en tu cuenta de Facebook.

Haz clic en la página para la cual deseas ver las estadísticas en la barra lateral izquierda.

Haz clic en "Insights" (o "Estadísticas") en la barra lateral derecha de tu página para verificar las estadísticas de interacción del último mes. Las estadísticas incluirán información como la cantidad de "me gusta" nuevos, vistas de publicaciones y otra actividad del usuario representada a través de gráficos y figuras.

Las redes sociales se tratan de crear una fase previa a la decisión real. Estás preparando el escenario al establecer relaciones, involucrar a tu público, y al hacer que la marca sea atractiva y deseable antes de que realmente empieces a jugar en el mercado. ¿Recuerdas la regla del 80-20?

10. Publica en el Momento Preciso

Publicar cuando es más probable que tu público esté conectado en Facebook aumenta la visibilidad y la exposición de tu mensaje. Esta es una pregunta con la que luchan la mayoría de los especialistas en marketing nuevos, simplemente porque no hay un solo momento para todos los proyectos. Los mejores días y horarios para publicar en Facebook dependen del tipo de negocio o empresa.

Por ejemplo, si te diriges a personas que trabajan desde el hogar, es probable que estén en línea en un momento diferente (entrada la mañana o por la tarde) que los profesionales que trabajan (entrada la noche y fines de semana). También depende del tipo de publicación y de la región a la que está destinada.

Por supuesto, hay algunos datos confiables sobre los mejores momentos para publicar en Facebook, aunque debes investigar los hábitos de navegación en las redes sociales de tu público meta para hacer presencia en los mejores días y horas para tu negocio.

Como regla general, el mejor momento para publicar contenido en Facebook es los miércoles a las 3.00 p.m. Otros buenos días y horarios para publicar son de 12:00 p.m. a 1:00 p.m. los fines de semana; y de 1:00p.m. a 4:00 p.m. los jueves y viernes.

Se conoce que las tasas de participación son 18% más altas hacia el final de la semana (jueves y viernes), y en otros días de la semana de 1:00p.m. a 4:00 p.m. Esto es particularmente valido para empresas relacionadas con ocio, los viajes, vacaciones y pasatiempos. Se sabe que las tasas de clics son mayores en los tiempos mencionados anteriormente. Además, dado que hay un 10% de aumento en la actividad de Facebook todos los viernes (y la gente tiende a estar más alegre ante la llegada del fin de semana), generalmente se considera un buen día para publicar contenido positivo, divertido y estimulante.

Los momentos más desfavorables para publicar en Facebook incluyen después de las 8:00 p.m. y después de las 8:00 a.m. los fines de semana. Por supuesto, usa esto como una guía general y no como una regla para hacer publicaciones en tu página.

Tienes que investigar cuáles son los mejores momentos para la participación de la audiencia en base a prueba y error. Intenta publicar en diferentes momentos durante los primeros días y verifica cuándo puedes obtener la respuesta o compromiso máximo de tu público meta.

Si estás empezando desde cero y no tienes datos propios para evaluar lo que le gusta o no al público, simplemente dirígete a una plataforma como BuzzSumo.com. Haz una búsqueda en función de tu campo o palabras clave, y encuentra una lista de publicaciones que han recibido la mayor cantidad de "me gusta" y "compartidos" en Facebook.

La plataforma ofrece una variedad de funciones, incluyendo el control de qué páginas/publicaciones se desempeñan particularmente bien para un competidor. También es un buen lugar para encontrar influencers en tu campo para algunas de esas necesarias promociones cruzadas.

11. Recuerda Mantener tus Publicaciones Cortas

No conviertas tu página de Facebook en una especie de blog. Los usuarios de las redes sociales no están en Facebook para leer contenido extenso y sobrecargado. Publica contenido conciso y atractivo. Las publicaciones con menos de 50 caracteres obtienen el máximo compromiso. Agregar caracteres más allá de eso reduce las posibilidades de participación. A menos que se haya demostrado que las publicaciones largas funcionan en tu área o con tu público en particular, lo mejor es mantenerlas por debajo de los 50 caracteres.

Que no parezca un sermón o exageradamente publicitario; inspira a la gente a conectarse contigo compartiendo tus historias de manera visual.

Comparte imágenes basadas en los valores centrales de tu negocio. Serás el mejor imán de las redes sociales si compartes la pasión de la empresa/marca con los clientes, creando casi un culto de seguidores. Tu negocio puede apasionarse por los alimentos orgánicos (si tienes un negocio relacionado con los alimentos). Crea una comunidad infundiendo el mismo nivel de pasión en tus seguidores a través de publicaciones cortas e interesantes.

Comparte un sentido de propósito que inspire genuinamente a las personas. En el ejemplo anterior, puede tratarse acerca de una alimentación saludable, elegir productos orgánicos, o apegarse a las comidas veganas. Encuentra un claro sentido de propósito y difúndelo a tus fans. Publica imágenes de tu marca conectándose con personas reales para añadir el toque humano que tanto necesita. Comparte citas inspiradoras y estimulantes que motiven a tus fans.

Haz una lista de publicaciones, infografías y artículos de "cómo hacer" que despierten la curiosidad de manera efectiva en la plataforma de Facebook. Si realizas una búsqueda en BuzzSumo sobre "alimentación saludable", descubrirás que las publicaciones de mayor rendimiento son "18 Comidas Preparadas Con Anticipación para Comer Saludablemente Sin Siquiera Intentarlo" y "¿Cómo Comer Alimentos Integrales Saludables, Dieta Basada en Vegetales Por $50 Semanales?" Todo el mundo quiere saber cómo se puede comer sano con solo un presupuesto de $50 a la semana. Despierta su curiosidad y termina por engancharlos.

12. Utiliza el Poder de los Grupos en Facebook

Los grupos son una excelente plataforma para crear una comunidad basada en intereses comunes. Reúnen a personas que comparten una pasión común y pueden generar una mayor comunicación e interacción que las páginas comerciales habituales. Ubica grupos relacionados con tu industria o crea tu propio grupo, y vincúlalo con tu página principal de negocios.

Dale un nombre fácil de buscar y relevante. Incluye una descripción breve y apropiada del grupo para que las personas puedan encontrarlo con facilidad. Continúa publicando contenido que promueva la interacción sobre temas relacionados con el grupo. Alienta a los miembros del grupo a publicar sus preguntas o a comenzar una discusión sobre un tema. Incluso puedes compartir tus publicaciones de blog o de páginas comerciales dentro del grupo para darles una mayor exposición.

Construir una comunidad leal y comprometida es la base del lanzamiento exitoso de una empresa en redes sociales. Aunque mantener un grupo ocupado puede tomar mucho tiempo y ser tedioso, puede traer grandes recompensas más adelante.

Los grupos son increíbles cuando se trata de construir una red alrededor de tu negocio o empresa. Por ejemplo, si eres un consultor para pequeñas y medianas empresas, puedes formar un grupo en torno a "empresarios poderosos". De la misma forma, si vendes equipo de acampar u organizas vacaciones de campamento, inicia un grupo de "entusiastas del camping". Incita a las personas a compartir sus blogs, inspirando piezas de contenido y temas que hagan que todos participen en una conversación.

Cómo motivar al grupo

Publicar preguntas. Si no sabes de qué hablar, simplemente pregunta a la gente de qué le gustaría hablar.

Organizar eventos como un seminario web en línea, una sesión de Hangouts o eventos en persona. Los grupos te dan una increíble oportunidad para conectarte cara a cara con personas de ideas afines.

Fomenta las presentaciones entre miembros. Pide a las personas que compartan algo sobre ellos, sus pasiones e intereses comerciales. Inicia conversaciones y/o conexiones basadas en compartir detalles sobre las aspiraciones, metas e intereses de las personas.

Realiza encuestas sobre lo que a la gente le gustaría escuchar y discutir en el grupo.

13. Celebra las Festividades y Vacaciones

A los fans les encanta cuando agregas un poco de entusiasmo festivo a tus publicaciones. Los pone en un modo alegre y de celebración. Crea publicaciones para eventos especiales y participa del espíritu festivo. Te muestra como una persona interesante, a la vez que demuestra tu sentido de la conciencia sobre los últimos acontecimientos. Esto hace que el negocio se vea más humano y menos mecánico, que es realmente de lo que se trata el marketing en redes sociales.

Investiga si las festividades aplican a una comunidad en particular o se celebran a nivel mundial. Usa esto como una oportunidad para saludar a tus fans y conectarte con ellos.

Por ejemplo, si es el Día Internacional de la Mujer, puedes compartir una publicación afectuosa sobre las empleadas de la compañía. Explica el trasfondo con un texto breve e interesante, y menciona cómo ellas son valiosas para la organización. A los fans les encantan los detalles sobre las personas que dirigen el espectáculo desde los bastidores.

Por lo general, las personas están en un modo más alegre, positivo y de consumismo durante las fiestas, lo que significa que puede ser más sencillo conseguir que realicen compras en una publicación promocional que siga a una de estas alegres publicaciones festivas.

Capítulo 4: Rematando con la Publicidad de Facebook

No es ningún secreto que Facebook ofrece uno de los programas pagos de publicidad en Internet. La mayor ventaja de optar por una promoción pagada es que puedes enfocarte en tus clientes en función de cualquier característica en sus perfiles, desde el tipo de películas que disfrutan ver, hasta eventos de la vida (recién casados o comprometidos) o su profesión e intereses. Y todavía hay más cosas que añadir: cumpleaños, ubicación, estado civil y educación.

Esto les da a los especialistas en marketing que buscan enfocarse en un grupo específico, una ventaja clara para promocionar sus productos y servicios. Facebook es una mina de oro para especialistas en marketing inteligentes, que saben utilizar su base de datos de usuarios para su beneficio.

Por ejemplo, supongamos que eres dueño de un gimnasio en Phoenix y deseas enfocarte en los aficionados a la salud que acaban de mudarse a la ciudad, podrías dirigir tus anuncios solo hacia ellos. De igual manera, si vendes kits de golf en línea en los Estados Unidos, puedes dirigir esos anuncios a los entusiastas del golf que viven en el país.

Esto evita que pierdas tu precioso presupuesto para publicidad, promocionando tus productos/servicios a personas que tienen poco interés en ellos. No se puede negar que los anuncios de Facebook pueden ser muy rentables si sabes cómo emplearlos de manera efectiva.

Según una encuesta de eMarket, casi el 96% de los usuarios de las redes sociales consideran la publicidad de Facebook como el método de promoción paga que genera más resultados en múltiples plataformas de redes sociales.

Un informe del *New York Times* indica que, en promedio, los usuarios suelen pasar una hora en Facebook al día, lo que explica por qué los presupuestos publicitarios de Facebook se disparan. Estás dejando demasiado dinero al alcance de tus competidores si no estás aprovechando el poder de la publicidad en Facebook.

¿Sabes por qué la gente odia los anuncios de YouTube? Porque interrumpen la experiencia de visualización de un usuario. Facebook ha modificado su función de publicidad para integrar sin problemas y de forma natural su publicidad paga en las noticias de un usuario sin interrumpir su experiencia. Esta es la razón por la que los espectadores están menos molestos y son más receptivos a estos anuncios.

Entonces, ¿cuáles son los mejores consejos para comenzar a usar la publicidad de Facebook? También he preparado una lista con estos consejos para ti.

Aquí tienes una guía práctica para que puedas hacer publicidad en Facebook como un profesional.

1. Para comenzar a hacer publicidad en Facebook, ve a la sección "Administrador de Anuncios" de tu página.

2. Antes de poner tu anuncio en circulación, debes tener un objetivo claro para la publicidad paga.

¿Qué esperas lograr a través de la publicidad paga? ¿Más "me gusta" en la página? ¿Más compromiso en publicaciones específicas? ¿Una tasa de conversión más alta en la página web? ¿Qué instalen tus aplicaciones? ¿O algún objetivo de marketing similar?

Una vez que hayas elegido tu objetivo publicitario, Facebook mostrará la opción que funcione mejor para lograr tu objetivo de marketing.

3. Selecciona tu público. Al inicio, tendrás que probar varios grupos de audiencia para identificar aquellos que generan los mejores resultados. En base a los criterios que especifiques, Facebook presentará una herramienta para "Crear Publico" a la derecha de la opción del campo Público. Toma todas las características pre-establecidas para calcular una cifra potencial de alcance.

Los campos de orientación de público de Facebook son tan amplios que es prácticamente imposible incluirlos todos aquí. Puedes dirigir tus anuncios a los usuarios en función de su ubicación, género, idiomas, relaciones, finanzas, etnia, eventos de la vida, política, intereses, pasatiempos, conexiones, comportamiento y mucho más.

También hay una opción de "Público Personalizado" en la que puedes seleccionar a miembros del público predefinidos en la base de datos de tu organización, personas que visitaron tu blog, o aquellas que usaron tu aplicación. Esta opción te permite dirigirte a los clientes según criterios muy específicos.

Una vez que has descubierto un público específico que ha respondido bien a tus anuncios, puedes hacer clic para guardar estos públicos más campañas publicitarias en el futuro (así no tendrás que pasar por el proceso de volver a elegir al publico).

Consejo profesional: mientras se ejecuta la campaña, si estimas que un grupo en particular está respondiendo muy bien al anuncio y reduciendo tu costo por clic/por “me gusta”, puedes editar las opciones de público al instante. Por ejemplo, supongamos que promocionas una página de viajes de aventura y descubres que los hombres ofrecen un menor costo por clic para tu página. Quizás desees editar la configuración de tu público para que solo se muestre a hombres.

4. Facebook te ofrece la opción de seleccionar cómo y dónde deseas que aparezcan tus anuncios. Los anunciantes tienen la opción de elegir anuncios de escritorio, anuncios para dispositivos móviles, y anuncios de columna derecha.

Puedes seleccionar los que sean más beneficiosos para tu negocio, pero los anuncios para dispositivos móviles funcionan mucho mejor que los anuncios de escritorio o los anuncios de columna derecha (los menos favorables). La mayoría de las personas accede a sus cuentas de redes sociales a través de dispositivos móviles, lo que hace que este tipo de anuncios sean los más efectivos.

5. Establece un presupuesto diario. Si deseas que tu anuncio se ejecute con un presupuesto diario, especifica tu límite diario

en la opción Presupuesto Diario. Por ejemplo, si ingresas $25 como tu presupuesto diario, Facebook publicará un anuncio con un presupuesto diario de $25 hasta que termines la campaña.

Si deseas que la campaña se ejecute por un número de días, ingresa la fecha de finalización dentro de la opción "Ejecutar Campaña hasta la Fecha". Tu anuncio solo se estará en circulación hasta la fecha especificada. Al principio, cuando apenas estés probando la publicidad, es mejor optar por un presupuesto modesto.

6. Creando el anuncio. No tiene ciencia alguna. Tu título tiene que ser lo suficientemente atractivo como para forzar a los usuarios a quitar la vista de otras cosas interesantes en sus noticias. El mejor truco es aprovechar los motivos primarios subyacentes de tu público meta. ¿Qué es lo que mueve a tu público emocional, lógica y físicamente? ¿Qué los hace sentarse, tomar nota y reaccionar? Pues claro, las emociones primarias más comunes y efectivas son la lujuria, codicia, miedo, dolor, culpa y felicidad. Canaliza estas emociones a la vez que presentas una solución lógica. Ofrece algún tipo de satisfacción inmediata para llamar su atención.

Cómo Crear un Blog de WordPress Exitoso en Menos de 20 Minutos.

Ahorra $12000 al Día en Fans de Facebook Evitando Este Costoso Error.

Presenta titulares con preguntas mientras prometes ofrecer una solución.

¿Cansado de Vivir con Deudas? ¡Dale "Me Gusta" Para Saber Cómo Vivir una Vida Libre de Deudas!

¿Conoces la emoción número uno que mueve a las personas a tomar decisiones relacionadas con compras? Es el Miedo.

Sí, el miedo es una emoción extremadamente poderosa cuando se trata de hacer que las personas reaccionen. Las personas no están demasiado abiertas a la posibilidad de invertir en nuevos productos porque temen perder dinero o tomar una decisión equivocada. Esta es exactamente la psicología detrás de por qué los productos gratuitos arrasan cuando se trata de captar la atención del posible cliente.

Gratis significa cero riesgos, y ningún riesgo significa cero miedos. Los titulares que ofrecen regalos o soluciones gratuitas a los problemas del usuario funcionan de manera brillante porque no hay ningún riesgo involucrado.

Escribe un texto publicitario concreto, breve y atractivo (los anuncios fotográficos tienen un límite de 90 caracteres). Usa un lenguaje claro, directo y fácil de entender. Debe provocar al público, mientras que indica los beneficios que pueden disfrutar al darle "me gusta" o visitar tu sitio web. Sigue el poderoso principio WIFM - *What's In It For Me* (¿Y Qué Gano Yo?). Que sea breve, pero que genere un valor alto.

Facebook también ha creado anuncios de diapositivas donde puedes crear una presentación de diapositivas al estilo PowerPoint con tus mejores imágenes. La marca de ropa deportiva *Carbon 38* descubrió que, en comparación con los anuncios fotográficos normales, los anuncios de presentación de diapositivas ofrecen un 85% más en la tasa de retorno por inversión publicitaria, y un aumento del 40% en la tasa de clics.

Una gran cantidad de negocios y empresas de Facebook están convirtiendo sus piezas de contenido más populares en anuncios de diapositivas. Simplemente estás destilando y volviendo a empacar su mejor contenido en un anuncio. Piensa en formas creativas de transmitir el mensaje escrito en imágenes, o cómo resumir cada punto en pocas palabras, y prepara un anuncio de video estupendo. Recuerda mantener el contenido en todo el video consistente con tu producto/servicio y finaliza con la llamada a la acción.

Haz clic en la opción de vista previa en la parte inferior del anuncio para asegurarte de que todo se vea bien. Si estás satisfecho con el aspecto del anuncio, toca el botón "Confirmar" para enviar el anuncio. Cuando el anuncio es aprobado por Facebook, recibes una notificación.

7. Prueba Dividida de múltiples anuncios. Las pruebas divididas o las pruebas A/B como también se les conoce, prueban dos anuncios diferentes para determinar cuál funciona mejor. Es prácticamente imposible predecir qué funciona y qué no funciona, incluso si conoces muy bien a tu público. La única forma de crear campañas publicitarias rentables es probando diferentes opciones para elegir las que funcionen. Sabrás cuales anuncios funcionan y cuáles no cuando intentes con varias opciones a través de las pruebas divididas.

Para aprovechar al máximo la función de prueba dividida de Facebook, crea distintas variantes de anuncios que tengan un buen rendimiento modificando un solo atributo a la vez. Por ejemplo, elige un anuncio que tenga un buen rendimiento y crea dos versiones manteniendo todo lo demás, pero utilizando dos titulares diferentes para ambas versiones.

Si realizas demasiados cambios en ambas versiones, no podrás determinar qué elementos funcionan correctamente. En el ejemplo anterior, si modificas el título y el texto publicitario, y un anuncio se desempeña claramente mejor que el otro, no sabrás si fue por el título o por el texto. Debes probar un solo elemento a la vez.

También puedes hacer pruebas divididas en las distintas opciones de ubicación de anuncios. Haz que una campaña se publique para los anuncios de columna derecha, otra para los anuncios de feeds de noticias para dispositivos móviles, y otra para los anuncios de feed de noticias de escritorio. Esta estrategia te permite monitorear más de cerca tu presupuesto que combinar todas las opciones en una sola campaña.

8. Usa la psicología de las imágenes y los colores para tu beneficio. Los profesionales de publicidad en Facebook compartirán muy poco sobre los increíbles poderes de persuasión psicológica de colores específicos (esta es su información más secreta). Sin embargo, estoy a punto de revelar uno de los elementos creativos más poderosos de la publicidad en Facebook que casi todos los anunciantes exitosos están aprovechando. El poder de las imágenes y los colores. ¿Sabías que el 90% de todas las opiniones rápidas que emitimos sobre productos/marcas se remonta a los colores predominantes en el anuncio o logotipo de la empresa?

Según un estudio publicado en Management Decision, existen claras tendencias, comprobadas científicamente, relacionadas con la percepción de los colores por parte de diferentes personas. Mientras que el público más joven prefiere tonos brillantes y provocativos como el rojo, el naranja y el amarillo, a las personas mayores les gustan los colores más fríos como el verde, el azul y el morado. Con la edad, las personas tienden a preferir tonos más fríos y oscuros.

Si eres una marca entretenida, dinámica y juvenil, tal vez quieras incluir tonos brillantes en tu anuncio de Facebook. Sin embargo, ten en cuenta que el hecho de que el azul signifique confianza, confiabilidad o fiabilidad, no lo puedes usar si no encaja bien con los productos que comercializas.

Por ejemplo, los logotipos e imágenes de productos alimenticios casi siempre tienen colores brillantes y llamativos (rojo, naranja, amarillo) que se dice estimulan el hambre. Se dice que el azul no va bien con los productos alimenticios, ya que está asociado con veneno y productos químicos. Encuentra colores que se adapten a la personalidad de tu marca y úsalos en el diseño, las imágenes y el logotipo de tu anuncio. Todo se resume a la adecuación y el ajuste personal. Piensa en el público meta y usa colores que evoquen los factores psicológicos adecuados, que los hagan reaccionar y tomar la decisión de comprar.

Capítulo 5:
4 Formas Astutas de Hacer Dinero en Facebook

Ya sabes que aunque Facebook es ideal para compartir fotos de tus vacaciones o establecer conexiones con viejos amigos, allí se puede ganar mucho dinero construyendo marcas y negocios.

Aquí ofrecemos 10 maneras ingeniosas de convertir Facebook en una máquina de ganancias.

1. Vende los Productos y Servicios de Otras Personas

Probablemente hayas oído hablar de marketing de afiliación si tienes tiempo en el mundo del marketing en Internet. Es un modelo comercial bastante rentable, donde se obtiene una comisión por la venta de productos o servicios de otras personas.

Existen muchos mercados de marketing de afiliados (como ClickBank, ShareASale, MaxBountyetc) donde puedes suscribirte para promocionar una variedad de productos y servicios. También puedes registrarte como afiliado a programas directamente, a través de su sitio web, o verificar si están aceptan afiliados para el momento.

Estas son algunos lineamientos generales para elegir productos de marketing de afiliados en Clickbank

Elige productos que tengan un porcentaje de comisión del 50% o más, excepto si se trata de un servicio/producto basado en comisiones recurrentes (en cuyo caso puedes reducirlo al 40%). Cualquier cantidad por debajo del 50-60% sencillamente no vale la pena.

Opta por un producto con altas comisiones. Estos son los productos que están funcionando muy bien y generan dinero a los comerciantes afiliados. Sin embargo, no ignores completamente los nuevos productos con bajas comisiones. Pueden tener un alto potencial y poca competencia.

Todo se resume a la calidad de la página de ventas y el producto. Si encuentras un producto prometedor y beneficioso para tu público, experimenta con él.

Cuando te registres como afiliado o promotor de cualquier producto/servicio, el sitio del comerciante o del vendedor te ofrece un enlace de afiliado único (a través del cual puedes controlar tus ventas y otras estadísticas). Incluye este enlace en tu blog o publicaciones de Facebook junto a contenido interesante y valioso. Cada vez que alguien hace una compra haciendo clic en tu enlace único, ganas una comisión.

Una vez que hayas elegido tus productos, crea una página de fans o una comunidad sobre un tema relacionado con los productos/servicios. Por ejemplo, si estás vendiendo un curso para redactores, es posible que desees crear una página o un grupo para entusiastas o redactores novatos.

Puedes ofrecer muchos consejos de redacción, ideas para la creación de contenido, etc., y así ganar su confianza y crear autoridad. Una vez que has involucrado a tu público, te has posicionado como una autoridad (o líder en el mercado) y ganado su confianza, recomendarles cosas se vuelve algo fácil.

Crea una reseña detallada para la publicación y comparte un enlace en tu página de fans o grupo. Incluye un título impactante que resuma cómo el curso puede ayudar a los redactores a iniciarse en una industria rentable.

Facebook te permite compartir enlaces de afiliados a partir de ahora, siempre y cuando cumpla con los estándares de su comunidad. Lee primero sus políticas antes de promocionar productos y servicios a través del marketing de afiliación.

Existe una gran cantidad de páginas de fans dedicadas a automóviles, drones, relaciones, hogares y prácticamente cualquier otro tema. Encuentra un grupo de fans apasionados que tengan un profundo interés en el tema, desarrolla una comunidad sólida para ganar confianza y lealtad, y finalmente, comienza a promocionar productos/servicios de alta calidad que creas que beneficiarán a tu público.

Crea un blog sobre el tema y, en lugar de enviar personas directamente a la página del comprador, guíalos a la publicación de tu blog donde puedan obtener información detallada sobre un tema. El enlace de afiliación para marketing se puede colocar en el blog o al final del mismo.

A nadie le gusta ver enlaces de mal gusto ni excesivamente largos en una página de Facebook. Asegúrate de que tus enlaces sean cortos y se vean profesional mediante el uso de un software para cubrir (cloaking) y retocar los enlaces de afiliado.

Si estás vendiendo más de un producto o servicio, crea páginas separadas para cada programa o categoría de programas. Por ejemplo, si vendes productos digitales o libros electrónicos relacionados con la crianza de niños pequeños, crea una página o un grupo de fans para padres de niños pequeños.

Del mismo modo, los productos/servicios relacionados con la cocina se pueden combinar en un grupo separado para entusiastas de la cocina. De esta manera estás sub-dirigiendo varios campos. Las personas no quieren darle "me gusta" a tu página para ver un montón de promociones que no les interesan.

Por supuesto, puede volver a publicar y compartir cosas que son comunes a los grupos. Por ejemplo, si subes una publicación como "10 Recetas Saludables que Harán que tus Niños Se Chupen Los Dedos", puede encajar tanto en la página de cocina como en la página sobre crianza. ¿Ya has comprendido cuál es la estrategia?

Una de las cosas más importantes que debes tener en cuenta si estás utilizando el marketing de afiliación para ganar dinero en Facebook, es entender que tu reputación está en juego como influencer y marca, lo que significa que solo debes vender productos de alta calidad y valiosos, que realmente beneficien a tu público. No termines con una venta ambulante o perderás estos preciosos miembros del público y tu reputación.

2. Escribe y Vende Libros Electrónicos (eBooks)

Los libros electrónicos se están volviendo increíblemente rentables de manera tardía, debido al bajo costo inicial que implican. No hay ningún costo relacionado con la impresión y los materiales, ya que todo se comparte electrónicamente. Esto significa que cualquier persona con un tema o idea decente puede intentar escribir un libro electrónico. Además, es un buen flujo de ingresos pasivos, donde inviertes un poco de esfuerzo para crear el libro una vez, pero contemplas ganancias para siempre o cada vez que es vendido.

Gracias a su público meta y la sensación de comunidad, Facebook tiene un público listo para tus libros si sabes cómo entrar en el mercado.

Los libros electrónicos de no ficción que ofrecen a las personas instructivos o una solución clara a sus problemas urgentes, tienden a venderse bien. Actualmente, los libros electrónicos más vendidos son libros que le dicen a la gente cómo ganar dinero con libros electrónicos, lo que significa que todos están interesados en sacar provecho de los libros electrónicos. A menos que tengas una historia realmente apasionante, o un talento especial para escribir personajes increíbles, es mejor que te limites a la no ficción.

Comienza por escribir tu libro electrónico sobre un tema o área donde ya tienes cierta autoridad establecida. No necesitas credenciales brillantes para ser un autor de libros electrónicos, pero deberías ser capaz de convencer a las personas sobre por qué deberían comprar tu libro en lugar de cualquier otro escritor. Posicionarte como un experto te dará una ventaja cuando se trata de promover el libro.

Una vez que hayas terminado de escribir tu libro en un procesador de palabras, crea una cuenta Kindle Direct

Publishing, y agrega tu libro siguiendo las instrucciones en “Biblioteca” y luego clic en <Crear un nuevo título>.

KDP permite a los editores obtener regalías del 70% si el libro electrónico tiene un precio inferior a $9.99. Es mejor empezar con un precio bajo para obtener algunas opiniones y calificaciones, y subir el precio una vez que el libro gane algo de tracción.

Ahora viene la parte divertida. Promociona tu libro en Facebook. Al igual que todos los negocios, comienza construyendo una comunidad alrededor del tema de tu libro electrónico. Si se trata de volar drones, crea una comunidad de personas apasionadas por los drones.

Aquí hay algunas estrategias inteligentes para promocionar tu Libro Electrónico en Facebook

Regalos

No es de extrañar que a la gente le gusten los regalos y obsequios. Distribuye algunas copias gratuitas del libro entre los fans más leales y dedicados de tu página, junto con influencers de ese campo. Pide que te apoyen escribiendo reseñas y dejando sus calificaciones. Kindle Publishing tiene sus propios algoritmos exclusivos, donde si un libro en particular tiene un buen rendimiento, Amazon lo impulsa aun más recomendándolo a los clientes. Si las ventas se disparan, el libro podrá encontrarse en la lista de los más vendidos.

Considera crear una lista de correos electrónicos a través de Facebook, donde puedas comunicarte con los lectores interesados sobre actualizaciones, noticias, ofertas promocionales, nuevos lanzamientos y boletines informativos.

Además, organiza concursos y sorteos de obsequios para obtener una copia del libro u otros obsequios relacionados con el libro. Debes asegurarte de que cada publicación promocional tenga una Llamada a la acción clara y definida, donde tu público sepa exactamente lo que se supone que debe hacer. Incluye una portada de extraordinaria de tu libro. Promociona el sorteo extensamente en tu boletín de noticias, blog y redes sociales. Siempre menciona a los ganadores en los comentarios, además de escribirles un mensaje personal.

Los concursos son una excelente manera de entusiasmar a la gente para formar parte de tu lista de correo s electrónicos. Por ejemplo, un negocio sobre mascotas puede pedirles a los dueños de mascotas que envíen entradas para el concurso de gatos o perros más lindos. Todas las fotografías se pueden publicar en tu página de Facebook, y los ganadores pueden ser elegidos por tus seguidores al pedirles que voten por su fotografía favorita.

Pestañas

Crea una pestaña separada en tu página de fans para el libro. Deja que tus lectores te conozcan como autor y aprendan más acerca del libro. Las pestañas adicionales se muestran debajo de la imagen de portada de Facebook y se pueden expandir para ofrecer información adicional una vez que los usuarios hacen clic en "Más". Los visitantes pueden explorar toda la página y explorar el contenido que les resulta útil. Utiliza esta función de pestañas para ganar ventaja y promocionar el libro.

Recuerda que tus publicaciones de Facebook deben ser breves y fascinantes, y añade información detallada en pestañas creadas específicamente para esto. De esta forma, las personas que desean información adicional sobre tus productos y servicios pueden hacer clic en las pestañas relevantes para obtener más información. Las pestañas ayudan a mantener tu información clara y organizada. No necesitas incluir todo en una sola página. Simplemente crea una pestaña separada para cada uno de tus libros y facilita a las personas encontrar más información.

Videos en Facebook

Además de utilizar las estrategias publicitarias mencionadas en el capítulo anterior para promocionar tus libros electrónicos, los autores también pueden usar videos brillantemente para causar furor sobre sus libros. Es una forma muy interesante de generar curiosidad sobre tu libro, pero los especialistas en marketing no lo aprovechan. Juega con anuncios de video de 15 segundos, o crea contenido de video interesante que despierte la curiosidad de tu público sobre el libro. No olvides usar la función de reproducción automática al crear anuncios de video.

Puedes hablar sobre los aspectos más destacados del libro en el video. Conversa con tus clientes de una manera interesante y fluida sobre lo que pueden conseguir en el libro. Presenta un sentido de urgencia en tu voz y tono hacia el final del video, cuando pidas a tu público que actúe ahora. Estos videos pueden brindarte una mejor respuesta o tasa de conversión que las ventas directas o la publicidad indiscreta.

Crea Ofertas por Paquetes

Crear ofertas es otro truco genial para permanecer en la cima del juego de marketing/promoción de libros electrónicos en

Facebook. Puedes tener más de un libro electrónico en tu portafolio, lo que significa que puedes agruparlos con estrategias promocionales inteligentes.

Por ejemplo, si los clientes compran tu primer libro dentro del período estipulado, puedes ofrecer los siguientes dos libros con un descuento del 50% sobre el precio normal. Esto aumentará las ventas de los tres libros. También puedes ofrecer una copia gratuita del próximo libro.

Las ofertas generan mucho alboroto para tu libro en Facebook, y ayudan a difundir una buena opinión al respecto. Por ejemplo: "¡Reclame su copia gratuita de mi último libro hoy mismo!"

Luego incluye un enlace directo a la página principal, donde el cliente puede solicitar una copia de su próximo libro comprando una copia de su libro actual.

Grupos Enfocados

Los grupos ofrecen una plataforma precisa, específica y dedicada para promocionar tu libro. Existen literalmente cientos de grupos/comunidades en Facebook dedicados a autores/editores independientes, múltiples géneros, e incluso autores reconocidos. Debes ser activo en estos grupos donde puedes encontrar varias actividades beneficiosas de publicidad cruzada.

También es una buena práctica comentar en estos grupos, participar en discusiones grupales y, básicamente, lograr una buena relación con los lectores a los que va dirigido.

Sin embargo, ten en cuenta algunos puntos antes de usar grupos para promover y promocionar tus libros. Primero, ¿tu libro es relevante para el público de ese grupo en particular? Si has creado un libro electrónico sobre cómo tomar unas vacaciones en crucero de lujo, seguramente no encontrarás a tu público en un grupo de mochileros o de aficionados a las vacaciones de aventura.

Encuentra los grupos relevantes y aumenta tus conversiones presentando tu libro al público apropiado.

Algunos grupos no toman demasiado en serio las publicaciones o enlaces promocionales. Siempre toma un tiempo para aprender sobre la etiqueta y las reglas del grupo antes de publicar, o te arriesgas a ser expulsado del grupo, lo que resulta en una reputación negativa. Crea tu propia página de fans como autor una vez que consigas suficiente popularidad.

3. Crea una Lista de Correos Electrónicos

Crear una lista de correos electrónicos es una de las mejores formas de establecer una comunicación constante con tus clientes. Puedes ganar dinero vendiendo productos físicos o digitales en tu blog, promocionando los productos/servicios de otras personas, o haciendo dinero a través de programas publicitarios como Google Adsense, si tienes una lista de correos electrónicos específica con las personas que están interesadas en tus productos o servicios.

Ofrece algo atractivo, como un regalo de promoción, un cupón, un libro electrónico, un informe especial, etc., cualquier cosa que pueda atraer clientes y se subscriban voluntariamente para formar parte de tu lista. Presenta algo difícil de obtener. Algunos blogs de marketing en Internet ofrecen a sus clientes una lista de los mejores temas y campos para blogs, mientras que otros ofrecen temas gratuitos, complementos, etc. Realmente depende de qué es exactamente lo que tu público meta está buscando. Ofrece herramientas poco comunes, bien investigadas y valiosas, y quedarán enganchados.

Ofrecer contenido exclusivo y difícil de encontrar (¿recuerdas la lista de las áreas y campos con mejor rendimiento?) en un formato para descargar es una excelente manera de ofrecer a los clientes algo valioso, y conseguir que te devuelvan el favor al comprar tu producto o visitar tu blog. No todos los negocios tratan con productos físicos, lo que hace que regalar piezas exclusivas de contenido sea muy lucrativo.

Otra estrategia inteligente que puedes usar es agregar un enlace a tu página de registro. Edita tu imagen de portada agregando una descripción relevante en la foto. Incluye una poderosa llamada a la acción en la descripción, seguido de un enlace a la página. Esto no solo te expondrá tu marca al instante en la imagen de portada, sino que también ayudará a las personas a llegar fácilmente a la página de suscripción.

También puedes incluir un llamado a través de tu foto de portada en lugar de incluirla en la descripción. De esta forma, se destaca en la parte superior de la página tan pronto como las personas la visiten, creando un sentido de urgencia. Básicamente, estás pidiendo a las personas que actúen rápido al incluir una llamada a la acción visible y clara.

Facebook también puede ser utilizado para establecer y mantener conexiones con las personas en tu lista. Cuando las personas ingresen a tu lista, envía un correo electrónico de bienvenida que los motive a seguirte en Facebook y otras plataformas sociales. Una de las mayores ventajas de este consejo es que incluso si cancelan la suscripción a su lista en el futuro, recibirán actualizaciones en Facebook y otras redes sociales.

Estimula el interés de tu público mostrándoles exactamente lo que recibirán si se subscriben a tu lista de correos. Comparte tu boletín informativo en Facebook. La descripción debe incluir un enlace a tu página de suscripción. Con esto lograrás que tus fanáticos de Facebook compartan el boletín informativo y generen para ti aún más exposición y suscriptores de entre sus contactos.

Si estás ofreciendo contenido que no estará disponible en tu próximo boletín, usa esto como señuelo para atraer a más personas a tu lista de correo. Esta estrategia tiene un doble propósito. Despierta la curiosidad de las personas que no están en tu lista de correos y, posteriormente, consigue que se registren en ella.

Además, toda esa agitación despertará el interés de las personas que están en tu lista y no han sido demasiado receptivas. Terminarán abriendo un boletín informativo, que de otra forma no se habrían molestado en revisar.

Organiza Eventos

Organizar eventos como un seminario web, o crear un evento real y en persona a través de Facebook, también es una excelente forma de conectarse con el público meta y obtener información detallada. Varios especialistas en marketing por internet promocionan exitosamente sus seminarios web gratuitos, utilizando la opción de publicidad de Facebook. Anima a los fans a subscribirse a un programa de capacitación o seminario web gratuito ingresando su correo electrónico.

Un seminario web gratuito puede anunciarse como:

Seminario Web De Capacitación Gratuito

¿Tu negocio en línea está atravesando momentos difíciles? ¿Estás buscando cómo cambiar las cosas un poco? Instagram podría ser justo lo que necesitas para pasar de promedio a estupendo.

Únete al experto en marketing por Instagram (nombre) para un excelente y valioso seminario web GRATUITO, este viernes a las 7:00 p.m. PST, donde podrás aprender algunas de las formas más rápidas para poner en marcha tu negocio con Instagram. Nos vemos allí.

Crea una publicación promocionando un seminario web gratuito y promociona la publicación, o envía a tus visitantes a un formulario de suscripción a través de anuncios de Facebook.

¿Por qué aprovechar los recursos en línea? Porque también puedes crear eventos de Facebook para conectar con personas en tu ciudad o vecindario. Al registrarse en línea para el evento, puedes animar a las personas a formar parte de tu lista de correos electrónicos.

4. Vende Productos Físicos por Facebook

Facebook no se trata solo de contenido y conexiones, también hay un mercado completamente nuevo para productos físicos.

Puedes crear una fachada virtual atractiva, completa y para un público específico en Facebook, utilizando una plataforma de comercio electrónico como Shopify. Muchas de estas plataformas de comercio electrónico ofrecen una versión de prueba gratuita para evaluar cómo operan.

La mejor parte de crear una tienda en Facebook es que puedes llegar a un público global, mientras interactúas constantemente con ellos y haces crecer tu negocio.

¿Cómo crear una tienda en Facebook o una Página de Compras?

Primero, inicia sesión en tu página para negocios o empresas. En la línea de tiempo, justo debajo de la foto de portada de tu página, hay una sección llamada “Agregar Sección de Compras”.

Haz clic en la pestaña azul “Agregar Sección de Compras” en la ventana emergente.

Ingresa todos los detalles comerciales requeridos.

Luego debes configurar un método de pago.

La única opción de pago disponible en Facebook actualmente es Stripe, lo que significa que tendrás que registrarte y crear una cuenta de Stripe si todavía no tienes una. Configura el método de pago.

Una vez que has configurado la cuenta de Stripe, Facebook te enviará a la página principal comercial. Haz clic en "Finalizar Configuración" para completar los detalles restantes.

¡Ya estás listo para comenzar a vender!

Ahora deberías ver una pestaña "Comprar" en tu página comercial. Haz clic en la pestaña y un cuadro te indicará que agregues un producto a la tienda. Haz clic en el botón "Agregar Producto" para continuar.

Haciendo clic en "Agregar Fotos" puedes comenzar a subir imágenes de productos. Después de subir las imágenes, haz clic en "Usar Fotos" para que tus imágenes se publiquen.

Obtendrás un campo para "Detalles del Producto" una vez que hayas subido todas las imágenes. Escribe una descripción breve, atractiva e interesante para cada producto. Habla sobre sus características y beneficios. ¿Qué lo diferencia de otros productos similares? Si hay una descripción existente del producto escrita por el vendedor original, simplemente puedes solicitar su permiso y copiar la descripción del producto si está bien redactada.

Una vez que hayas subido todos los productos, se presentarán en un formato de lista, que puede ser modificado. Puedes ver la imagen del producto y su precio. También tienes la opción de determinar si deseas que el producto esté disponible para tus fans.

Conclusión

"El secreto para avanzar es comenzar."
- *Mark Twain*

Gracias por descargar *Marketing en Facebook: Una Guía Completa para Crear Autoridad, Generar Compromiso y Hacer Dinero a través de Facebook.*

Espero que este libro te haya ofrecido muchos consejos, estrategias comprobadas y perlas de sabiduría para construir un negocio influyente y rentable en Facebook.

Mi intención fue explicar las estrategias de la forma más sencilla y directa posible, para que hasta un principiante pueda entrar al lucrativo mundo del marketing en Facebook.

El siguiente paso es comenzar a aplicar estos valiosos consejos inmediatamente. Elige consejos que te resulten útiles y trabaja para construir una comunidad leal de compradores. Al final del día, el marketing en redes sociales se trata de generar compromiso, fortalecer la credibilidad, crear marcas sólidas y, finalmente, establecer una comunidad de compradores leales que resulten ser tus mejores promotores.

Prueba diferentes estrategias y técnicas, y selecciona la que te brinde los mejores resultados. Aprenderás muchas cosas a lo largo de tu viaje.

THANK
YOU!

Marketing en YouTube

------ ------

Una Guía Completa para Crear Autoridad, Generar Compromiso y Hacer Dinero a través de YouTube

Mark Smith

Conclusión

"El secreto para avanzar es comenzar."
- *Mark Twain*

Gracias por descargar *Marketing en Facebook: Una Guía Completa para Crear Autoridad, Generar Compromiso y Hacer Dinero a través de Facebook.*

Espero que este libro te haya ofrecido muchos consejos, estrategias comprobadas y perlas de sabiduría para construir un negocio influyente y rentable en Facebook.

Mi intención fue explicar las estrategias de la forma más sencilla y directa posible, para que hasta un principiante pueda entrar al lucrativo mundo del marketing en Facebook.

El siguiente paso es comenzar a aplicar estos valiosos consejos inmediatamente. Elige consejos que te resulten útiles y trabaja para construir una comunidad leal de compradores. Al final del día, el marketing en redes sociales se trata de generar compromiso, fortalecer la credibilidad, crear marcas sólidas y, finalmente, establecer una comunidad de compradores leales que resulten ser tus mejores promotores.

Prueba diferentes estrategias y técnicas, y selecciona la que te brinde los mejores resultados. Aprenderás muchas cosas a lo largo de tu viaje.

THANK
YOU!

Marketing en YouTube

------ ❧ ------

Una Guía Completa para Crear Autoridad, Generar Compromiso y Hacer Dinero a través de YouTube

Mark Smith

veraz de los hechos y, por lo tanto, cualquier descuido, uso correcto o incorrecto de la información en cuestión por parte del lector será su responsabilidad, y cualquier acción resultante estará bajo su jurisdicción. Bajo ninguna circunstancia el editor o el autor original de este trabajo podrán ser responsables de cualquier adversidad o daño que pueda recaer sobre el lector luego de seguir la información aquí descrita.

Además, la información contenida en las páginas siguientes solo tiene fines informativos, y por lo tanto, debe considerarse de carácter universal. Como corresponde a su naturaleza, el material se presenta sin garantía con respecto a su validez o calidad provisional. Las marcas registradas encontradas en este texto son mencionadas sin consentimiento escrito y, bajo ningún motivo, puede considerarse como algún tipo de promoción por parte del titular de la marca.

Tabla de Contenidos

Introducción

Felicidades por descargar este libro y gracias por hacerlo.

Los siguientes capítulos abarcarán algunos de los conceptos fundamentales que necesitas conocer para empezar con el marketing en YouTube. Esta es una forma de marketing que algunas compañías tienden a pasar por alto, pero es una de las mejores opciones que puedes utilizar para realmente establecer una relación con tus clientes y promover tu negocio. En este libro, se hablará de cómo puedes empezar el marketing en YouTube para tu negocio.

Hay muchas cosas que puedes hacer con YouTube que resultan simplemente increíbles. No vas a querer comenzar directamente con un montón de videos que todo el tiempo hablarán del producto. No hay ninguna conexión, y tus clientes potenciales se aburrirán y dejarán de seguirte. Este libro no solo te mostrará cómo hacer estos videos de venta más adelante, sino cómo trabajar en esos primeros videos para que realmente impresiones a tus espectadores y hagas que se queden.

También hablaremos sobre cómo puedes proporcionarle valor a tu audiencia, cómo hacer que esos videos y la portada de tu canal se destaquen, cómo usar las herramientas de analíticas para descubrir cómo se están recibiendo tus videos, e incluso cómo AdWords te ayudará a promover tu sitio mejor que nunca. Cuando todas estas partes trabajan juntas, se hace muy fácil para ti obtener las vistas, e incluso ventas, que deseas.

Cuando estés listo para ver tu negocio crecer y quieras empezar a añadir algo del marketing en YouTube a la mezcla, asegúrate de revisar este libro. Tiene toda la información que necesitas para tomar las decisiones correctas y ver cómo tus ventas aumentan rápidamente.

Hay muchos libros sobre este tema en el mercado, ¡así que gracias nuevamente por escoger este libro! Se hizo el mayor esfuerzo para asegurar que contenga toda la información relevante como fue posible. ¡Por favor, disfrútalo!

Capítulo 1:
Cómo Empezar en YouTube

Antes de que empecemos a ver algunas de las cosas geniales que puedes lograr con el marketing en YouTube, es importante ver cómo funciona YouTube y sus inicios. Esta plataforma tiene un público inmenso, con más de 800 millones de usuarios activos al mes. Esto la hace el destino número uno para navegar, buscar, compartir y promover contenido de video. Cuando las personas quieren ver un video de algo, ya sea sobre cocina, ejercicio, cómo se hacen ciertas cosas, etc., irán directamente a YouTube.

Esto significa que YouTube es una de las plataformas más efectivas que puedes utilizar para crear un gran grupo de seguidores leales, conocidos en esta plataforma como suscriptores. A diferencia de otras plataformas de redes sociales, como Facebook e Instagram, todo el contenido que es puesto en YouTube estará en formato de video, haciéndolo único y personal.

Ahora, cuando se trata de marketing en YouTube, hay tres pilares muy cruciales que debes tomar en cuenta. El primer pilar es que necesitas atraer un público a tu canal por medio de los videos que publicas. Mientras mejor es tu video, atraerá más seguidores a tu canal. El segundo pilar es que necesitas interactuar con tu público. Tu público necesita estar involucrado contigo de alguna manera, ya sea emocionalmente o de otra forma, o dejarán de visitar tu canal. Y el tercer pilar es que necesitas hacer ventas dirigidas, lo cual significa que deberías vender algún tipo de servicio o producto a tu público.

Todas estas partes necesitan unirse, a través de los videos que creas para ayudarte a conseguir los seguidores y las ganancias que deseas. Ahora, algunas personas quizás ya tengan un negocio exitoso en otras plataformas de redes sociales, y ahora querrán llevarlo a YouTube. Podrás usar esos videos para promocionar tu producto, pero asegúrate de que los videos no están sobrecargados con ventas y que tienen algo capaz de atraer a los clientes, sino, será todo un fracaso.

En otros casos, quizás seas un completo novato, y quieras promocionarte a ti mismo, o hacer que tu negocio despegue. Esto también es válido, solo necesitas encontrar tu estrategia. Recuerda la conexión que estableces con tu público lo es todo. Hay millones de videos en YouTube, así que debes preguntarte: ¿Qué atraerá a tus clientes? ¿Qué los hará escoger tu video en lugar de otro? ¿Y cómo seguirán regresando por más contenido? Sí, promocionar tu producto es algo bueno, y es una excelente forma de promocionar también tu negocio o empresa, pero este método puede volverse obsoleto y aburrido si es lo único que muestras a tus clientes.

Supongamos que estás listo para empezar en YouTube. Pero antes, hay algunas cosas que debes tener en orden. Primero, necesitas crear una cuenta. Esto es muy fácil de hacer. Si ya posees una cuenta Gmail, deberías tenerla vinculada a YouTube y así podrás usar esa cuenta para iniciar sesión. Si tu dirección de correo electrónico es profesional y te sientes cómodo usándola para promocionar tu negocio, podrás acceder a tu cuenta y empezar.

Ya que la mayoría de las personas tiene una dirección de correo electrónico personal y querrán usar YouTube para promocionar su negocio, quizás consideren la creación de una dirección de correo electrónico solo para su negocio o para usarla en el canal de YouTube. Esto es muy fácil de hacer. Simplemente necesitas ir a www.gmail.com y crear la dirección de correo electrónico. Inicia sesión, y luego dirígete a tu canal de YouTube.

Desde allí, puedes ajustar las configuraciones de tu canal. Puedes escoger el idioma, algunas palabras clave para tu canal, e incluso cómo recibes notificaciones. Por supuesto, toma un tiempo para publicar algunos videos y dar comienzo al canal (hablaremos de cómo poner en marcha esos primeros videos y qué necesita estar en tu video para que se destaque del resto).

YouTube es una gran plataforma para establecer una conexión con tus clientes, y para asegurarte que puedes promocionar y vender tu producto de una manera que otras plataformas no pueden hacerlo. Este libro te dará las respuestas que necesitas para comenzar en este mundo, y crear una base de seguidores en muy corto tiempo.

Beneficios del marketing con YouTube

En este punto, quizás te preguntes por qué deberías explorar el marketing en YouTube. Hay muchas otras fuentes de publicidad que puedes considerar, así que: ¿Por qué debería estar YouTube entre tus opciones? Hay muchas razones por las cuales YouTube puede funcionar muy bien, a veces mucho mejor que otras alternativas, y esto puede ser cierto sin importa el tipo de producto o servicio que estés tratando de vender. Algunos de los beneficios de trabajar en YouTube son:

- Es gratuito: aunque necesitas invertir tiempo en descubrir tu público meta y crear los videos que quieres usar, ser capaz de subir e incluso crear directamente esos videos que deseas subir es completamente gratis. ¿Qué otra fuente de publicidad es gratis?

- El contenido es realmente poderoso: en un mundo enfocado cada vez más en internet, el contenido es sumamente importante. Y de todo este contenido, el contenido en video es uno de los mejores. En varias oportunidades, las personas preferirían ver información sobre algún producto o servicio en línea que leerla.

- Podría volverse viral: si creas un video que es muy bueno, emocional, gracioso, o algo más igualmente creativo, tu video podría volverse viral en corto tiempo. Volverse viral significa que podría haber miles de personas que compartan tu video con sus conocidos. Si resulta muy bien, tu negocio podrías darse a conocer a una cantidad innumerable de personas.

- Público local y global: basado en el tipo de palabras clave que uses, tu video podría ser visto por personas en todo el mundo. Si todo va bien, podrías conseguir clientes de países lejanos. Si te preocupa que el alcance sea muy grande porque tu negocio es local, es posible cambiar esto para que solo puedas ser visto por personas en tu región.

- Demuestra tu experiencia: puedes dar excelentes consejos en tus videos, los cuales te ayudan a mostrar a tus espectadores que eres un experto en tu campo. Muchos de los consumidores o clientes que buscas tendrán que escoger entre dos negocios, y quieres asegurarte de que te escojan. Si tienes videos en YouTube que muestren porque eres una buena opción, esto hará que tu negocio se destaque.

- Vender todo el tiempo: sólo porque inviertas algo de tiempo en un video y luego lo publiques no significa que tu trabajo haya terminado. Crear un video es como tener a uno de los mejores agentes de venta del mundo. Solo creas el video una vez y luego lo subes a YouTube. A partir de allí, el video puede empezar su trabajo, estando disponible a cualquier hora del día que alguien lo quiera ver. Y por cada video que creas, estás creando un nuevo agente de venta. Realmente no hay límite para lo que puedes hacer con esto.

- Da la cara a tu público: a veces lo que necesitas es darle a tu cliente una cara, una persona en la que puedan confiar, con el fin de establecer una conexión para lograr la venta. Y ya que es imposible que te reúnas con todos tus clientes, crear un video que pueda hacer esto por ti puede ser muy útil si eres tímido frente a la cámara, o puedes hacer un video enfocado en PowerPoint y luego agregar una foto de tu rostro para que las personas puedan ver cómo luces.

- Optimizar el video para SEO: esto es algo muy importante. Cuando alguien está haciendo una búsqueda en línea, es probable que el video mantenga una posición alta en las búsquedas orgánicas. Si esto es así para tu video, entonces es de mucha importancia ya que, por alguna razón, además de tu esfuerzo, el video sobresale del resto. Y por supuesto, más personas verán tu video si tiene una posición más alta entre los resultados de búsqueda.

Cuando se trata de marketing para tu negocio, realmente no existe mejor sitio para trabajar que YouTube. Este sitio te permite crear contenido que llegará a tus clientes y si lo haces bien, lo cual abarcaremos en los próximos capítulos, obtendrás una de las mejores tasas de conversión y ventas de todos los tiempos.

Creando videos que logran su objetivo

Por supuesto, si quieres tener éxito en YouTube, necesitas asegurarte de que estás creando videos que serán populares en la plataforma. Crear un buen video puede ser difícil. Algunos de los videos más populares disponibles en este canal no son particularmente de alta calidad, aunque esta es una característica recomendada para un video en YouTube, y algunos no son tan originales. Pero aún proveen algo de entretenimiento o valor al cliente, y logran obtener muchas vistas.

Hay algunos factores que necesitas tener en cuenta para crear un buen video que logre su objetivo. Necesitas comenzar con un video de alta calidad, ya que usualmente estos son de gran ayuda cuando administras un canal para tu producto o servicio. Intenta realizar un buen trabajo videográfico, o contrata a alguien que pueda ayudarte con ello.

También necesitas darle valor al video. Debe haber una razón por la cual las personas escogerán tu video, y lo verán por completo, en vez de pasar a otra cosa. Necesitas ser capaz de generar tanto valor como sea posible para tus clientes.

Descubrir cómo dar este valor es la parte difícil, ya que cada empresa y producto tendrán sus diferencias.

Finalmente, necesitas promocionar el video. Si nadie tiene la oportunidad de ver tu video porque es difícil de encontrar en YouTube, será realmente difícil que tu compañía crezca. Hay varios métodos diferentes de promoción que puedes usar, como AdWords y muchos más.

Seleccionando las palabras clave

Mientras trabajas en tus videos, debes ser cuidadoso con las palabras clave que uses. Esta será la mejor forma para asegurarte de que las personas podrán encontrar tu video cuando estén buscando temas similares al tuyo. Hay muchas palabras clave buenas que puedes escoger, selecciona las que puedan ayudarte a conseguir más espectadores.

Debes tener en cuenta las cosas que tus clientes potenciales buscarán cuando necesiten tu producto o servicio. ¿Qué les gusta buscar a tus clientes o qué es lo que más les interesa? Esto te ayudará ya que te garantiza la capacidad de obtener los espectadores más relevantes para ti.

Si no estás seguro de qué tipo de palabras clave deberías usar, piensa sobre lo que tus usuarios necesitan. También existen herramientas que puedes usar para ayudarte a seleccionar las mejores palabras clave, las cuales realmente pueden ayudarte a llegar a los clientes y espectadores que quieres.

Generando valor para los clientes

Sin importar el tipo de producto estés vendiendo, o el público meta al que quieres llegar, necesitas estar seguro de que cada video que crees esté generando valor para tus clientes. Es fácil para alguien nuevo en el marketing preocuparse por sus ganancias y por cómo hacer dinero, pero si este tipo de actitud comienza a reflejarse en tus videos, y eventualmente ocurrirá, no serás capaz de conseguir clientes.

Tu trabajo es siempre conocer qué es lo mejor para el cliente, y una forma de hacer esto es mostrar crear algún tipo de valor para el cliente. Hasta los videos que haces antes de promocionar tu producto o servicio deberían tener algún valor para el cliente. Esto también incluye valor de entretenimiento. Si no hay valor alguno para el cliente, no estará dispuesto a comprar lo que vendas.

Aquí también es donde se establece la relación y conexión entre tú y el cliente. Tu objetivo es crear algunos videos que no solo serán buenos, sino que también ayudarán al cliente a sentirse valorado y más cercano a ti y a tu producto. Cuando esto se logra, será mucho más probable que quieran comprar de ti más adelante, cuando comiences a subir tus videos de conversión.

Hay muchas formas diferentes en las cuales puedes generar valor para tus clientes. Puedes brindar entretenimiento, algo que los haga reírse, o los haga sentir algo al escuchar tu historia. Puedes mostrarles como el producto les puede proporcionar algún valor en su vida cotidiana (no simplemente mostrar cómo funciona el producto como tal). Revisa tu producto y los mensajes que intentas enviar al mundo con el mismo, y serás capaz de descubrir la mejor forma en la que tu producto puede generar valor para otros.

No olvides promocionar

Puedes haber creado el mejor video en YouTube del mundo, pero sin promoción, es poco probable que muchas personas vean tu video. Necesitas esforzarte y encontrar una manera de promocionar para lograr algunas ventas. La buena noticia es que hay millones de usuarios activos cada mes en YouTube, lo que significa que hay muchos clientes potenciales. Pero también significa que habrá mucha competencia, y si no haces algún tipo de promoción para hacer que tu video se destaque, se perderá entre el montón.

Ya que Google compró la plataforma de YouTube recientemente, podrás usar AdWords para Video y ayudarte con este tipo de promoción. Esta es una de las mejores herramientas de marketing y publicidad de entre tantas que puedes escoger. Tiene todas las funciones y podrás personalizar muchas cosas para alcanzar el público meta, mantenerte dentro del presupuesto, y mucho más. Más adelante hablaremos de AdWords y cómo configurarlo en tu cuenta.

Deberías hacer uso de este tipo de promoción. Los programas, especialmente AdWords, te brindan información detallada y podrás ver si tu trabajo está dando resultados. Puedes ver si estar alcanzando tu público meta adecuado, si estás alcanzando la tasa de conversión que buscas, y mucho más. Nunca subestimes la utilidad que estas herramientas tienen, y descubre todas sus ventajas.

Sin importar qué tipo de campaña publicitaria estés tratando de crear, necesitas usar AdWords para Video en YouTube. Pero hay otros métodos que puedes probar también. Algunas personas prefieren publicar sus videos en Facebook. Esta es una buena forma de conseguir vistas ya que puedes compartir el video con tus amigos y familiares, y pedirles que lo compartan. Si el video resulta exitoso, puedes terminar logrando que sea viral.

La promoción es muy importante para ayudarte a obtener los resultados deseados para tu video. Crear una campaña de marketing puede ser un poco aterrador, pero es la única forma de descubrir tú público y asegurarte de que tu información está llegando a la mayor cantidad de personas posible. Hay una gran cantidad de videos buenos en YouTube que nunca han conseguido vistas, simplemente porque los creadores estaban muy asustados para hacer la promoción que esos videos necesitaban.

¿Qué tan bien te va?

Sin importar que tipo de producto o servicio ofreces a las personas, necesitas estar seguro de que tienes algún método para determinar si tu estrategia está teniendo éxito o no. No es bueno trata de adivinar tus resultados, ya que muchas veces vas a estar completamente equivocado. Y considerando que YouTube tiene servicios de analítica disponibles, ¿por qué tratarías de adivinar esto?

La herramienta YouTube Analytics te ayudará a mantener un control de lo que estás haciendo con tu publicidad. Es mejor estar seguro de que estas enviando el mensaje correcto, de que estás llegando a las personas correctas que tienen interés en comprar tus productos y a quienes deseas impresionar con el arduo trabajo que has hecho. Usar una herramienta como YouTube Analytics te ayudará a lograr esto.

Existen algunas opciones entre las cuales puedes escoger cuando se trata de crear un plan de marketing para tu empresa o negocio. Puedes trabajar tu publicidad en imprenta, radio, televisión, e incluso otras redes sociales. Pero nada es tan efectivo ni original como hacerlo por YouTube. Esta plataforma social te permitirá publicar tus videos, los cuales trabajan de manera única porque establecen una conexión entre ti y el cliente, algo que no es visto siempre o posible en otras formas de publicidad que pudieras utilizar. Si quieres hacer algo completamente único y original para tu campaña de marketing, y llegar a un gran grupo de personas que podrían estar interesadas en adquirir tus productos, entonces es tiempo de que comiences a trabajar en tu propia campaña de YouTube.

Capítulo 2: Creando Tu Primer Video

Uno de los retos más grandes que encuentran los novatos del marketing es conseguir nuevos usuarios para su canal que vean sus videos. Hay millones de videos en YouTube, por lo que destacarse entre el montón puede llegar a ser una tarea difícil. Necesitas ser capaz de crear un video que no solo venda tu marca y tu producto, sino que realmente lleve a las personas a ver tus videos.

Así que, ¿Cómo puedes estar seguro de que estos clientes potenciales vean tus videos y puedan encontrarlos entre tantos otros videos de YouTube? La respuesta a este problema es crear videos que aumenten el tráfico web de tu canal. Estos videos son creados y subidos por los creadores de contenido, y son capaces de alcanzar a muchos clientes en corto tiempo. El objetivo principal de estos videos es atraer la mayor cantidad de personas posibles a tu canal para que apreciar tu valor y el contenido principal de lo quieres mostrarles.

Estos videos pueden ser herramientas poderosas ya que establecerán el estilo de tu canal. Serán algo cortos; la mayoría tendrá una duración menor a siete minutos, pero atraerán a muchas personas así que la cantidad de vistas será alta. Sin embargo, recuerda que estos videos no llamarán la atención de todos y solo unos cuantos de estos espectadores se convertirán en tus suscriptores. Aun así, esta es una buena manera de comenzar y llevar tu contenido al tope de las listas de búsqueda, lo cual te ayudará en el futuro.

Hay algunas caracterizaciones que encontrarás cuando trabajes en un video para aumentar el tráfico web. Algunas de estas son:

- Alcance masivo: estos videos tendrán una alta cantidad de espectadores que conseguirán más personas y suscriptores para tu canal.
- El público que atraigas será indefinido, amplio, y esporádico. Esto puede atraer una buena cantidad de personas, pero no todos se quedarán por mucho tiempo.
- Corta duración: estos videos usualmente no duran más de siete minutos.
- Alta cantidad de "Me Gusta",
- Alta cantidad de veces compartido
- Muchos comentarios
- Tasa de conversión baja de suscriptores del canal, pero puede ayudarte a conseguir más de los "me gusta" que necesitarás en el futuro.

Así que hablemos de los distintos tipos de videos de tráfico web con los que puedes intentar conseguir más visitas a tu canal y que vean tu contenido.

Videos virales

Este tipo de videos contienen clips cortos que pueden conseguirte millones de vistas. Usualmente se debe a que los seguidores comparten los videos en las redes sociales y otros sitios. Por lo general, son contenido original preparado para llamar la atención de los demás y aumentar el número de veces que el video se comparte. También será un video independiente, lo cual significa que no habrá otros videos con este que formen parte de esta serie.

El propósito de este tipo de videos es obtener la mayor atención posible y promocionarlo para que las personas compartan el contenido dentro de sus círculos sociales. No alcanzarán a un sector demográfico específico, pero atraerán diversos grupos de personas a través de las redes sociales para que consigas la mayor cantidad de vistas posibles.

Hay una variedad de temas de los cuales puedes escoger para crear tus videos virales. Algunos de los temas que funcionan muy bien para esto son:

- Celebridades que se encuentran en situaciones inesperadas
- Peleas
- Accidentes
- Parodias
- Cover de canciones
- Videos de animales

- Bromas

Videos en Tendencias

Otro tipo de video que puedes usar para promover tu canal de YouTube son los videos en tendencias. Estos son videos que tratan sobre temas del momento que estén en tendencia en el mundo o en los medios. Estos también serán videos independientes y darán un interés único en las redes sociales, con la esperanza de llegar a millones de personas con solo un video. Por supuesto, este tipo de video también será amplio en cuanto al público que alcanzarás, y no habrá un sector demográfico específico.

Hay una gran variedad de temas en tendencia que puedes usar en estos videos, solo necesitas ver las noticias y asegurarte de estar al día. Algunos de los temas que puedes usar son lo más destacado en deportes, festivales cinematográficos, descripción de nueva tecnología, avances de películas, y elecciones políticas.

Video de interés general

Estos videos se tratan de algún tema que tiene un gran interés actualmente de forma que los usuarios en las redes sociales querrán verlo. Estos no serán compartidos tanto como los otros tipos de videos, pero aun así obtendrán una gran cantidad de vistas debido a las búsquedas directas. Algunas veces son conocidos como Video Viral "Sin Intención" o Video Viral "Por Error".

Algunos de los temas que puedes usar en estos videos de interés general son tutoriales, reacciones, experimentos sociales, y evaluación de productos. Estos videos deberían brindar algún tipo de información y valor a tus clientes o espectadores para que consigas que algunas personas vean la información.

Videos de colaboración

Descubrirás que los videos de colaboración también pueden resultar exitosos, pero funcionan de una manera diferente en comparación a otro tipo de videos. En estos, habrá diferentes YouTubers que se reunirán en un mismo video, pero serán capaces de presentar su propio contenido en el mismo. Cuando cada colaborador haya terminado, cada YouTuber que estuvo en el video lo compartirá en su canal personal, ayudando a crear una promoción cruzada y alcanzar un público mucho más grande.

Para crear un video de colaboración, deberás encontrar otros canales que sean similares al tuyo para que puedas llegar a los usuarios correctos y compartir un mensaje similar al de esos canales. Esto es un trabajo para un público meta más centrado en comparación a otras opciones, y es más probable que obtengas una tasa de conversión de suscriptores más alta.

Entonces, ¿Cómo haces que funcione uno de estos videos de colaboración? Primero necesitas asegurarte que estas mostrando valor a las otras personas que podrían colaborar en el video. Deberías buscar y ver varios canales cuyo contenido y cantidad de suscriptores es similar al tuyo. Hazles saber que disfrutas el contenido de sus videos, que tienes algo de tiempo viéndolos, y que te parece que su contenido es fascinante.

Una vez que hagas contacto, podrás explicar cómo un proyecto de colaboración los ayudará a ambos a llegar a un público más grande, conseguir nuevos usuarios, y expandir sus canales. Recuerda que no se trata solamente de ti; debe generar algún valor para tu canal y el de los demás, de otra forma no obtendrás los resultados que quieres.

Escoger el tipo de video que quieres usar puede ser el reto más difícil para poner tu canal en marcha. Tienes que escoger el tipo de video que funcionará de la mejor forma, y tener una idea brillante que atraerá a las personas hacia tu canal, lo cual posiblemente te consiga más "Me gusta", o hasta más suscriptores que harán crecer tu negocio. Esto será una gran forma de dar inicio a tu canal, pero recuerda, hay otras cosas en las que también debes trabajar.

Cuando pongas en marcha uno de tus originales videos virales, necesitarás trabajar en otro tipo de video que deseas tener en tu canal. Estos pueden hablar sobre tu servicio y producto, y te ayudarán a conseguir más personas de tu público meta específico, pero el video viral siempre es una buena manera de dar a conocer tu canal y empezar a ver resultados.

Capítulo 3: Conociendo a Tu Público

En el capítulo anterior, hablamos sobre las primeras cosas que deberías hacer para atraer nuevos usuarios a tu canal. Un video viral es una de las mejores formas para ello, pero aún hay más por hacer. La siguiente tarea es involucrarte con tus espectadores, aquellos que encontraron tu canal, y buscar alguna forma de que se enamoren de tu contenido. Estos serán tus clientes leales, aquellos a los que serás capaz de dirigir la venta de tus servicios o productos. Esto es el proceso oculto que definirá tu marketing en YouTube.

El objetivo ahora es producir contenido que involucre a tu público. Necesitas ser capaz de reconocer rigurosa y profundamente quién es tu público meta y lo que valoran estas personas. Antes de comenzar, hay dos requerimientos esenciales que necesitas tener en cuenta. Cuando estás buscando un público debes recordar que:

- El público necesita estar interesado en el tema o contenido de tus videos.
- Tu público debe ser activo en YouTube.

Ahora podrás ser capaz de identificar a tu público en YouTube. Tienes que recordar que el público que buscas necesita entrar dentro de los requerimientos listados anteriormente. Si no tienes muchos conocimientos en marketing, puede serte difícil escoger al público correcto para poder lograr tus ventas.

Antes de comenzar con algún video que quieras crear o diseñar para tu canal de YouTube, necesitas hacerte unas preguntas. Estas tienen la finalidad de que llegues a las personas correctas, y no pierdas tu tiempo y energía detrás de las personas equivocadas. Deberías revisar las respuestas a estas preguntas cuando tengas dudas sobre lo que pasa, o si estas enviando el mensaje correcto a tus clientes. Las cinco preguntas que necesitas hacer sobre tu público son:

- ¿Qué edad tienen? Esto puede incluir si se trata de adolescentes o adultos en cualquier rango de edad, y tenerlo en consideración para tu contenido.
- ¿Dónde viven? Considera la zona horaria en la que viven y si esto afectará el tiempo en el que publicas tus videos, o si existen barreras de idioma
- ¿Son hombres o mujeres?
- ¿Qué hacen durante el día estas personas? ¿Son estudiantes, trabajan, tienen familias, y qué es importante para ellos?
- ¿Por qué estas personas acceden a YouTube? ¿Con qué frecuencia lo hacen? ¿Buscan algún tipo de información en específico o simplemente están pasando un rato?

Descubrirás que YouTube Analytics, una herramienta que discutiremos más adelante en este libro, puede ser excelente al momento de escoger a tus espectadores y aprender más sobre ellos. Gracias a que Google tomó posesión de YouTube, ahora eres capaz de obtener detalles sobre las estadísticas de tus espectadores. De hecho, serás capaz de revisar información precisa sobre tus espectadores, e incluso obtener más información sobre tu público a medida que crece. Por ejemplo, podrás revisar qué tipo de información y contenido le gustará a las mujeres de tu audiencia.

Si llevas tiempo en el negocio, podrás poner en práctica los conocimientos de marketing que has adquirido a lo largo del tiempo. Tu sector demográfico de YouTube puede ser muy similar al de otros medios y redes sociales, así que puedes tener una parte del trabajo ya listo. Por supuesto, debes recordar que este medio social es muy diferente a otros. Este solo estará sustentado por videos, sin transcribir texto ni otras palabras, así que quizás debas hacer algunos cambios para alcanzar a tus clientes de una mejor forma.

Para aquellos que están dando sus primeros pasos en el marketing, deben realizar este análisis de sus clientes de todas formas. ¿Cómo puedes estar seguro de que tu estrategia de marketing está enfocada a las personas correctas, y que no estás perdiendo el tiempo y energía, sin importar el tipo de campaña de marketing en la que estás trabajando?

Conocer a tu público es importante. Debes asegurarte de que estás creando videos con buen contenido para llegar a tu público meta y no esforzarte en vano. Al preguntarte las cinco preguntas anteriores, y hacer tantas preguntas como sean necesarias sobre tus clientes, serás capaz de obtener la mayor información posible para poder crear videos fantásticos y conseguir ventas.

Capítulo 4: Generar Valor Único y Original para Tu Público

La siguiente parte en la que necesitas trabajar es cómo generar valor para tus clientes. No basta con hacer videos y esperar que a las personas les gusten. Estos videos necesitan crear algún valor para tus clientes, brindar una solución a sus problemas, entretenerlos, o algo más. Narrar información sobre tu producto no será suficiente para ayudarte a retener espectadores.

Si estás interesado en que millones de personas vean tu contenido, necesitas estar seguro de que sea de la más alta calidad. Estos videos deben ser mucho mejores que los de tu competencia, y créeme, te enfrentarás a mucha competencia. Si quieres asegurarte de atraer nuevos espectadores, y retener aquellos que ya tienes, necesitas que los videos no sólo sean de alta calidad, sino que tu contenido también provea algún tipo de valor.

"Valor" es una palabra que escucharás mucho en la industria de marketing, pero muy pocas personas saben lo que significa. Con una perspectiva avanzada, la palabra puede definirse con facilidad. Básicamente, "valor" significa que tu público le dará un nivel de importancia, mérito y utilidad a tu contenido. Sin embargo, será difícil descubrir el valor exacto que tu público le dará al video y contenido que subas, en particular porque se trata de una industria completamente digital.

Veamos un ejemplo. Los videos de "fails" se han vuelto muy populares en la red. Por lo general, se trata de intentos de acrobacias que salen mal de formas inesperadas, y pueden terminar con la persona resultando herida tras el accidente. FailArmy es un canal popular de YouTube que cuenta con más de 12 millones de suscriptores.

La pregunta aquí es cómo puedes describir la razón de que a las personas les guste este tipo de videos. Los espectadores verán cualquier contenido que les proporcione valor alguno, y es tu labor como el especialista en marketing de tu compañía identificar el valor de estos videos y llevarlo al máximo en el contenido que entregas a tus espectadores. Entonces, ¿Por qué los videos de "fails" son tan populares? No son de tan alta calidad, definitivamente no son originales, y por último, no son tan extraordinarios.

Hay un artículo en Adweek en el cual se discute los videos de "fails" y el porqué a las personas les gusta tanto. Hay tres factores que son analizados: subir el Ego, el elemento sorpresa, y el elemento de la incredulidad. Si buscas crear un canal similar a aquellos de videos de "fails", necesitarás investigar mucho sobre estos tres factores para utilizarlos en tus videos, y generar más compromiso.

Descubrir cuál es el valor para tus espectadores es algo realmente difícil. No puedes conocer directamente a las personas que están viendo tus videos y debes ser capaz de descubrir qué les gusta a éstas personas, qué hacen en su tiempo libre, qué disfrutan o encuentran interesante, y mucho más. Sin embargo, si quieres conseguir ventas, debes ser capaz de entender el valor para tus espectadores.

Después de revisar algunos de los temas discutidos anteriormente en este libro, deberías tener una buena idea de cuál es tu público meta. Si aún no lo has descubierto, debes hacerlo ahora mismo antes de continuar. Necesitas tener en mente algunas de sus características como su edad, su género, la forma en la que navegan por internet, sus hábitos cotidianos, y más. Esta información será muy útil cuando debas crear contenido, teniendo en mente qué valoran tus clientes.

Para poder comprender realmente cuál es tu público, puedes usar el siguiente enfoque:

Paso 1: Evalúa la competencia

Cuando comienzas un canal de YouTube, o cualquier negocio o servicio en marketing según aplique, la primera cosa que debes hacer es darle un vistazo a tu competencia. No importa lo que estés tratando de vender, siempre existirá algún tipo de competencia, u otro canal, contra el cual estarás compitiendo en YouTube.

Tener alguna competencia es importante, ya que demuestra que existe un mercado y público para tu contenido. Es mucho más fácil cubrir las necesidades de un mercado que crear uno nuevo. Hay muchos tipos diferentes de competencia con la cual competirás. Por ejemplo, la competencia directa serán las personas que estén vendiendo productos iguales o similares a los tuyos. Si estas vendiendo joyería, esta competencia sería las otras personas que también venden joyería.

Pero también habrá competencia indirecta, y no puedes olvidarte de estas personas. Si tu negocio es vender hamburguesas y papas fritas, también estarás compitiendo con supermercados, puestos de tacos, y otros lugares y puestos para comer. Cada compañía tendrá un efecto, tanto directo como indirecto, así que aprender quiénes son estas personas te puede ayudar a crear videos de mejor calidad que tu competencia para tu público meta.

Deberías dar un vistazo a los grandes y pequeños competidores en tu área. Los más pequeños son los que estarán más dispuestos a trabajar contigo, y esta es la estrategia que deberías tener en este momento. En el futuro, puedes considerar trabajar con los más grandes al tener más experiencia.

Para empezar, deberías ver al menos cinco de los pequeños y cinco de los grandes canales que tiene objetivos similares a los tuyos. Por cada uno de ellos, debes escoger tres cosas de sus canales que realmente te gusten. Puedes escoger tomas detrás de escena, sus videos de más alta calidad, sus temas, y más. Cuando tengas esto listo para cada uno de los canales, será tiempo de escoger tres aspectos de esos canales que no te gusten. Por cada uno de estos, escribirás información sobre cómo tú podrías solucionar ese problema en tu propio canal.

Mientras revisas esta información, siempre te debes preguntar: ¿Por qué las personas están viendo estos videos? ¿Qué están buscando obtener los espectadores de estos videos? Puedes tomar algo de tiempo revisando algunos de los comentarios porque pueden ayudarte a entender las razones por las cuales a estas personas les gusten esos videos.

Recuerda que debes usar las cualidades positivas de tu competencia, pero también aprender de sus errores.

Paso 2: Mejora y perfecciona tu lista para proponer valor

En el paso anterior, debías crear una lista para describir las razones por las cuales los usuarios son atraídos al canal de tu competencia. Sin embargo, no tendrás éxito si sólo tomas esta información para imitar a tu competencia. En su lugar, necesitas buscar mejorarla. Debes ser capaz de diferenciarte de una manera en la que puedas tomar una parte de su valor comercial y brindar contenido que tenga un mejor valor.

Para lograr esto, necesitas perfeccionar tu lista para proponer valor, como se describe en los siguientes pasos:

- Compara la propuesta de valor que desarrollaste para tu público meta. ¿Es posible mejorar alguno de estos aspectos para el género, hábitos, y rango de edad de tu público meta?

- Siempre usa tus fortalezas. ¿Acaso tú o alguien en tu equipo posee alguna habilidad única que pueda aprovecharse? Por ejemplo, si eres muy bueno usando Photoshop, puedes emplearlo para crear videos excelentes.

- Producir contenido: cuando estés listo con tu propuesta de valor, la cual tomaste del paso anterior, ahora es tiempo de producir y lanzar los primeros videos en tu canal.

- Evaluar: mientras subes videos a tu canal, vas a percibir algún tipo de retroalimentación. Puedes tomar esta información y aplicarla a tu propuesta original. Habrá momentos en los que recibirás crítica, pero es importante tomar esto en cuenta e intentar hacer las mejoras apropiadas. Sí, habrá momentos en los que la retroalimentación no será útil, pero en otros te ayudará a realizar grandes cambios que realmente te beneficiarán.

Uno de los pasos en los que debes trabajar es identificar la razón de que parte de tu público responda positivamente a algunos de tus videos, y negativamente a otros. Una vez que tengas una teoría del porqué, será tiempo de probar el mercado. Puedes crear un video nuevo dirigido a obtener retroalimentación de tus clientes antes de tomar el siguiente paso. Nuevamente, puedes encontrar respuestas tanto positivas como negativas en el video (esto ocurre siempre ya que no a todos les gustará lo que tengas que decir). Puedes revisar esta nueva retroalimentación y ver si es necesario realizar cambios.

Las mejoras continuas son importantes para ayudarte a lograr los resultados que deseas. Las compañías que dominan un mercado son aquellas que siempre revisan las respuestas en sus videos y hacen los cambios que necesiten.

Recuerda, para tener un canal exitoso en YouTube, debes producir contenido fantástico. Pero ese es solo uno de los factores que hacen a un canal exitoso. Los videos de alta calidad pueden ayudarte a atraer algunos clientes, pero necesitas ser paciente, aprender cómo involucrar a tus espectadores, consistencia, campañas publicitarias, y marketing para alcanzar el éxito.

Capítulo 5: Consejos y Estrategias que Sí Funcionan

Como se ha mencionado en este libro, necesitas tomar un tiempo para saber quiénes forman parte de tu público meta, entender lo que valoran, y ser capaz de brindar eso a las personas adecuadas. Todo esto es importante para ayudarte a involucrarte con tu público. Sin embargo, es importante que recuerdes que YouTube es una plataforma para compartir videos y depende de la comunicación y apariencia, esto significa que no debes enfocarte exclusivamente en el contenido.

Hay muchos detalles que necesitas tomar en cuenta al momento de diseñar tus videos. Solamente sentarte frente a la cámara y hablar no dará resultados. Algunos de estos detalles son:

Apariencia y visualización de la página principal de tu canal

Cuando los espectadores vayan a ver uno de los videos que publicaste y den a "me gusta", es muy probable que estas personas visiten la página principal de tu canal. El estilo de tu marca y la visualización serán unas de las primeras cosas que verán, así que debes poder impresionar a estas personas. Aunque existen diferentes opciones para personalizar la apariencia de la página principal de tu canal, hay dos componentes que son cruciales:

El icono del canal: esta será la imagen más visible de tu canal. Aparecerá en todos tus videos y en todos los comentarios que publiques. Dependiendo del tipo de negocio que manejes, esta podría ser una foto de tu rostro o el logo de tu compañía.

La imagen del banner: esta también es importante. La imagen del banner será una imagen grande para el fondo de la página principal de tu canal. Querrás asegurarte de que esta imagen sea de alta calidad y que sea llamativa para tus espectadores, ayudándote a presentarles los productos o temas que estés promocionando.

Si no tienes experiencia alguna con diseño gráfico, entonces sería buena idea contratar a alguien que te pueda ayudar con ello. Estas imágenes son una de las primeras cosas que verán las personas cuando se dirijan a tu canal, así que querrás asegurarte de que se vean bien. Podrás encontrar buenos diseñadores con los cuales trabajar si buscas en línea. Si necesitas algunas ideas sobre cómo deberían verse estas imágenes, considera revisar otros canales para descubrir qué se ve bien.

El tráiler de tu canal

Otra cosa en la que debes trabajar es en el tráiler de tu canal, este será el primer video que vean las personas cuando entren a tu canal. Puedes divertirte con este tipo de video, pero debes asegurarte de que cuenta un poco sobre ti, que hable sobre lo esperas para tu canal, y hasta puede incluir algo de la historia de tu negocio.

Necesitas poner esfuerzo en este video ya que debe ser uno de tus videos que más involucre a los espectadores. Puede durar pocos minutos, pero necesita ser suficiente para convencer a alguien, que tal vez nunca haya escuchado sobre ti, para que le de "Me gusta" a tus videos y frecuente tu canal. Este debe ser un video que genere valor a los espectadores y demuestre tu personalidad.

Lista de reproducción y organización de videos

La lista de reproducción que tengas en tu canal puede ser una buena forma de atraer clientes, pero necesita tener un buen conjunto de videos y temas claros. Debes tener una estructura que sea efectiva para tu canal. Para empezar, has una lista de tres o cuatro temas que creas que los espectadores podrían disfrutar, y luego trabaja en crear listas de reproducción en base a esos temas.

No querrás sobrecargar tu canal con muchas listas de reproducción si acabas de empezar tu canal, así que ten cuidado al momento de utilizarlas. Puedes añadir más listas en el futuro, pero si eres un novato con pocos videos, es mejor comenzar con pocas listas para mantener las cosas en orden. Estas listas son útiles, ya que le permite a los espectadores saber de qué trata tu canal desde el principio y serás capaz de resolver un problema para ellos de esta manera, haciendo las cosas más fáciles.

Involúcrate correctamente con los espectadores

Sin importar qué tipo de producto estés diseñando, necesitas asegurarte de que estás estableciendo una relación personal entre tú y los espectadores. Tus clientes están interesados en adquirir productos de personas que conocen y en las cuales confían, así que debes trabajar en este tipo de relación a través de los videos que crees.

Hay varias estrategias que puedes aplicar para lograr una conexión emocional fuerte y directa con tus espectadores. La primera es aprender la manera correcta de comunicarte con tus espectadores y agradecerles por tomar su tiempo en ver tu canal. La segunda es tu actividad entre los comentarios. Aunque no puedas usar todo tu tiempo en responder a cada una de las personas que comenten en tus videos, debes hacer el esfuerzo de responder a la mayor cantidad de usuarios para marcar una diferencia.

Como puedes ver, la calidad de un video es importante al momento de crear contenido para usar en YouTube, pero hay otros factores que son importantes para ayudarte a conseguir vistas. Puedes crear cuantos videos quieras y publicarlos, pero sin tomar en cuenta esos otros factores, no conseguirás vistas.

Capítulo 6: Venta Dirigida de un Producto o Servicio con un Video de Conversión

Hasta ahora, en este libro hemos hablado sobre cómo hacer tu video viral para atraer personas a tu canal. Luego, sobre la creación de videos que te permitan conectarte con tus espectadores, cosas que pueden resolver algún problema y generar valor para que ellos sigan visitando tu canal. ¡Ahora visitaremos el paso que necesitas seguir para empezar a obtener ganancias con tu canal de YouTube!

Una vez que tengas una buena cantidad de espectadores y hayas aprendido a mantenerlos involucrados, será tiempo de aprender cómo venderles tu producto o servicio. Esto puede ser emocionante ya que empezarás a ver el fruto de todo el arduo trabajo que has puesto en este proceso.

Ahora es tiempo de convencer a los espectadores de que necesitan adquirir tu producto o servicio. En muchos casos, los espectadores de tu canal no necesitarán el producto. De otra manera, ya lo habrían obtenido por su cuenta. Es tu trabajo mostrarles cómo el producto o servicio será de valor para ellos y hacer que lo adquirieran.

Una de las formas más efectivas de convencer a tus espectadores de que necesitan tu producto o servicio es mediante el uso de Videos de Conversión. Este tipo de videos es importante ya que convertirán al público que ya tienes en tus clientes. Estos videos pueden ser de larga duración, a veces de hasta dos horas, pero la mayoría de las compañías no harán videos tan largos.

Es importante recordar que estos videos sólo llamaran la atención de un grupo específico en tu público. No recibirás tantas vistas en este tipo de videos como en otros, y la cantidad de comentarios y veces que el video es compartido serán más bajas, pero esto no será un problema. Si realizaste los otros pasos correctamente, habrá personas que verán el video y es muy probable que se conviertan en tus clientes.

Hay varios factores que podrás encontrar en tus videos de conversión. Algunos aspectos que puedes notar en este tipo de video son:

- El video puede ser de larga duración, entre cinco minutos y dos horas de duración.
- Baja cantidad de veces compartido
- Baja cantidad de comentarios
- Baja cantidad de “Me gusta”
- Un público específico y refinado
- Un alcance que está limitado prácticamente a tus suscriptores, así que es importante que te asegures de

tener una buena cantidad de suscriptores antes de comenzar a subir este tipo de videos.

Ahora que sabemos un poco más sobre los videos de conversión, es momento de pasar a los tipos de videos de conversión más populares y efectivos.

Videos informativos

Estos videos son muy buenos ya que te permitirán demostrar tu completo, extenso y espectacular conocimiento sobre algún tema. Tu trabajo es demostrar que eres un experto en tu área, que eres la persona a la cual todos deben acudir si quieren aprender sobre un tema en particular.

A través de estos videos, vas a comercializar tu conocimiento en esta área. Esto te ayudará a vender libros, planes, consejos, o alguna otra cosa. Frecuentemente, este tipo de videos resulta exageradamente costoso, así que la capacidad de mostrar a tus suscriptores el valor de trabajar contigo puede resultar impactante para ellos. Algunos ejemplos de lo que puedes mostrar en este tipo de video son:

- Presentaciones y charlas
- Opiniones personal y podcasts
- Guías sobre cómo hacer diferentes cosas
- Tutoriales
- Consejos

Videos demostrativos

La siguiente cosa en la que puedes trabajar es un video demostrativo. Este es el tipo de video con el cuál mostrarás a tus espectadores cómo el producto o servicio que estás vendiendo funciona. Recuerda que el reto que enfrentarás cuando apliques una estrategia de marketing de algún producto, será mostrar cómo tu producto o servicio generará algún valor para tus clientes. Cuando hagas un video demostrativo, serás capaz de mostrar a tus clientes qué tan valioso es el producto.

En estos videos, es más importante para ti enfocarte en los beneficios que brindan el producto o servicio, en lugar de cómo funciona. Por supuesto, puedes mostrar cómo funciona el producto, pero es más importante que te enfoques en sus beneficios. Algunos ejemplos de cómo puedes hacer esto es mediante tu experiencia personal, evaluación del producto, documentación, modo de uso, testimonios, portafolio, y experiencia por parte de otros clientes.

Videos solicitando apoyo de la comunidad

En este tipo de videos, necesitarás trabajar bajo la base del vínculo emocional que has estado estableciendo con tus espectadores. Aunque el espectador no necesariamente necesite tu producto ahora mismo, descubrirás que estos videos son perfectos para convencerlos de comprarlo como una forma de aprecio hacia ti y tus videos. Esta estrategia sólo funcionará si has generado suficiente compromiso con tus espectadores, o un público de millones.

No querrás comenzar estos videos de conversión de inmediato. Debes crear una relación con tus clientes antes de que ellos hagan una compra, y si intentas venderles algo directamente con el primer video que subas, tendrás problemas para lograr ventas.

En cambio, si comienzas con videos que ayuden a fomentar esta relación con el público, contenido que proporcione algún beneficio a tus clientes y los haga regresar por más, te será más fácil usar estos videos de conversión cuando tu nivel de audiencia sea mayor, y lograrás los resultados deseados. Quizás te emocione la idea de ganar mucho dinero al empezar en YouTube, pero si no puedes atraer a tu público meta ni generas valor para ellos rápidamente, estarás haciendo esfuerzo en vano.

Capítulo 7: Promocionando Tus Videos

Hemos dedicado un espacio en este libro para hablar sobre cómo puedes crear videos y algunas de las diferentes opciones que puedes escoger para atraer más clientes a tu canal. Entonces, ahora que tienes un buen video, ¿cómo planeas promocionarlo de manera que la mayoría de los clientes vean este contenido? Puedes tener unos videos y un contenido fantástico para compartir con otros, pero sin promoción alguna, todo tu esfuerzo y trabajo habrá sido en vano.

Muchas veces, especialmente en la etapa inicial de un canal, te sentirás decepcionado con la cantidad de vistas que tu video obtiene por sí solo. Las vistas orgánicas son sencillamente el número de usuarios que han visto tus videos sin necesidad de haber pagado por algún tipo de publicidad para ayudarte. Para algunas personas que no tienen experiencia con el marketing en las redes sociales o en línea, la idea de pagar por una de estas campañas de marketing puede parecer abrumadora y costosa. La buena noticia es que estas campañas pueden resultar fáciles de hacer, y con el tipo de video adecuado, se pueden pagar por sí mismas.

Es probable que no te lo sepas de primera mano, pero los canales más exitosos en YouTube son los aquellos que paguen por campañas publicitarias. Ellos no hacen simplemente una que otra campaña; sino múltiples campañas a gran escala. Por ejemplo, algunos de los más grandes videos de música consiguen sus primeros millones de vistas a través de una gran campaña publicitaria que empieza justo cuando el video es lanzado al público. Debido a esto y al alto tráfico web que ocurre justo cuando el video ha sido lanzado, el algoritmo para YouTube verá esto como un video importante y le dará publicidad. Esto significa que YouTube pondrá el video entre los más destacado en la página principal y puede rápidamente convertirse en un video viral.

Esto significa que usar publicidad en YouTube es muy importante, pero como alguien nuevo al mundo del marketing: ¿Dónde se supone que debes empezar? Este capítulo hablará sobre cuales plataformas publicitarias puedes usar, que objetivos quieres alcanzar con cada una de ellas, e incluso cómo ayudarte a establecer una campaña publicitaria.

AdWords: la mejor herramienta

AdWords es considerado uno de los mejores y más grandes servicios publicitarios disponibles en la actualidad. Es un servicio creado y manejado por Google, con ganancias que sobrepasan los 4 mil millones de dólares al año. Gracias a la información de todos los usuarios que posee Google, AdWords te permitirá perfeccionar tu público meta utilizando sus intereses, género y edad. Y tras adquirir YouTube, Google adaptó AdWords para que también funcione con videos.

Luego de ser utilizado durante décadas por muchos promotores en línea para llegar a su público meta, AdWords para Video fue desarrollado para utilizarse fácilmente y estar disponible para cualquier persona. Solo necesitas crear un anuncio que quieras utilizar, definir tu público meta, y escoger tus opciones de presupuesto. Al tener esto listo, AdWords para Video trabajará para asegurarte de que tu anuncio esté al frente de cada usuario que haya visto contenido similar, lo cual que ayudará a conseguir más vistas y suscriptores.

La pregunta que la mayoría de las personas se hacen tras obtener toda esta información es: ¿Y cuál es el costo de una campaña publicitaria con AdWords? Te sorprenderá lo económico que es poner tu contenido frente a un público específico, un público que está interesado en la información y que probablemente seguirá tu canal.

Lo bueno de AdWords para Video es que solo pagarás por el video cuando alguien lo vea. No tendrás que pagar porque alguien haya visto el título del video o algo por el estilo, sino cuando las personas realmente tomen su tiempo para ver tu video. Además, si tienes un presupuesto inicial limitado, podrás seleccionar el precio por vista o un presupuesto diario para ayudarte a mantener un control.

Si te parece que la campaña no está funcionando tan bien como quisieras, o si está resultando mejor de lo que esperabas, podrás detener o modificar la campaña en cualquier momento. No será necesario que avises para realizar esto. Recuerda que tanto AdWords y YouTube ofrecen secciones de analítica que pueden ayudarte a ver qué tan exitosas podrán resultar tus campañas de marketing, con mucha precisión para ayudarte a decidir si la campaña está funcionando como quieres.

Antes de que inicies cualquier tipo de campaña de marketing, y en especial una que quieras llevar a cabo con AdWords para tus videos, necesitas tener una estrategia previa, con metas claramente definidas para ayudarte a tener éxito. Otra cosa que disfrutarás de trabajar con AdWords para Video es que te ofrecerá configuraciones que pueden ayudarte a cumplir los objetivos de tu campaña. Hay múltiples configuraciones disponibles, pero a menudo, una de las siguientes opciones resulta la mejor para alguien con un canal nuevo:

- Quiero llegar a más personas: si quieres hacer una campaña que llegue a muchas personas y las dirija a tu canal, AdWords es capaz de ayudarte con ello. Para esto, necesitarás trabajar promoviendo un video de tráfico web como los que discutimos anteriormente en este libro.

- Quiero aumentar el compromiso: si quieres hacer una campaña que te ayude a aumentar el compromiso de tu público con tus videos, encontrarás que existen otras herramientas más eficientes, pero AdWords te permite realizar algunas cosas para esto. Si quieres usar AdWords, es mejor enfocarte en tu contenido, la presentación del canal y la calidad antes de hacer esto.

- Quiero lograr más conversiones: AdWords es una de las mejores herramientas para incrementar las conversiones en tus videos. Las conversiones son el número de personas que terminan adquiriendo el producto o servicio que promociones en YouTube. Puedes enfocarte en aumentar tu público antes de promocionar algo usando un Video de Venta Dirigida.

Te darás cuenta que AdWords hará las cosas mucho más fáciles para ti. No estarás limitado solamente a los suscriptores que conseguirían tus videos de manera orgánica. Con la ayuda de AdWords, podrás llegar a cualquier persona que esté directamente interesada en tus productos o servicios. Por supuesto, la mayoría de estos usuarios no tendrá idea de quién eres y no existirá una conexión emocional. Esto puede resultar en una baja tasa de conversión. Pero si colocas un Video de Venta Dirigida ante un número suficiente de personas, resultará en un incremento de tus ventas.

Publicidad en Facebook

Aunque AdWords para Video es una gran plataforma con la cual trabajar para promocionar tu canal, Facebook es otro medio disponible que puede ayudarte. Debido a la gran cantidad de información personal que las personas comparten en Facebook, podrás llegar con mayor facilidad a tu público meta y mostrarles tu mensaje.

Si eres completamente nuevo al mundo del marketing y quieres mantener tu presupuesto bajo control, trabajar con Facebook es una buena opción para ti. Muchas personas ven Facebook como una de las plataformas más económicas y efectivas para la publicidad en línea. Esta es una buena forma de compartir algunos de los videos que quieres promocionar y difundirlos entre tus amigos y otras personas. Quizás debas realizar una campaña publicitaria para ayudarte a difundirlos más allá de las personas que conoces, pero esto puede representar un gasto efectivo para ti que te ayudará a conseguir más visitas para tu canal de YouTube.

Trabajar con diversas plataformas de redes sociales es una de las mejores formas de ayudarte a promocionar tu video fuera de YouTube. Mientras que eso está fuera del alcance de este libro, puede hacer una gran diferencia en la cantidad de personas que verán tus videos y visitarán tu canal de YouTube.

Capítulo 8: Cómo crear una Campaña de AdWords

En el capítulo anterior discutimos cómo AdWords para Video puede ser una de las mejores herramientas para ayudarte a mostrar tu contenido a tus clientes potenciales, y así empezar a ver ganancias. Pero si nunca has trabajado en una campaña de AdWords, puedes tener dudas antes de empezar una. Este capítulo contiene varios pasos que debes seguir para poder crear tu primera campaña con la ayuda de AdWords para Video. Este proceso es realmente simple, incluso para personas que no están acostumbradas a crear campañas en línea para su compañía.

El primer paso es ingresar a una cuenta de Google AdWords para Video. Allí podrás crear tu campaña de AdWords. Solo tienes que entrar al sitio webwww.adwords.google.com/videos. Aquí podrás usar tu cuenta de YouTube o Google para iniciar sesión. Luego selecciona tu zona horaria y la moneda que prefieras utilizar para pagar la campaña.

Una vez que crees tú cuenta de AdWords, será tiempo de vincularla a tu canal de YouTube y crear una campaña. Antes de crear esta campaña, deberás asegurarte de vincular ambas cuentas. Esto te facilitará la selección de los videos con los que quieres trabajar y te proporcionará una analítica más detallada de la campaña. También puedes usar esto para añadir botones de llamada a la acción si así lo prefieres. Para comenzar, debes hacer clic en el botón "Cuentas de YouTube Vinculadas", el cual está ubicado en la esquina inferior del lado izquierdo de la pantalla.

Luego de vincular la cuenta, será tiempo de crear una nueva campaña. Deberás buscar el botón "Campañas". Podrás encontrarlo en la esquina superior del lado izquierdo de la pantalla. Tras hacer clic en ese botón, podrás seleccionar "+Nuevo Campaña de Video" y comenzar tu primera campaña.

Querrás establecer algunos parámetros para tu campaña para que se vea bien. El primer parámetro que deberías configurar es el nombre de la campaña. Asegúrate de que sea algo memorable para que lo puedas ubicar con facilidad en el futuro. Y el segundo parámetro que debes fijar es el presupuesto diario que quieres gastar. Esto puede ayudarte a mantener las cosas bajo control y que el costo no sea excesivamente alto.

Tan pronto configures los parámetros que quieres usar, será el momento de definir la ubicación y los idiomas para tu anuncio. Puedes comenzar por filtrar tu público y elegir a las personas a las que quieres llegar. Para esto, puedes escoger ciertas ciudades en las que miembros de tu audiencia viven e incluso algún país con el cual quieras expandir tu público. Por supuesto, asegúrate de escoger el idioma más accesible para la mayoría de tu público.

Una vez que establezcas algunos de los parámetros de tu anuncio, será el momento de escoger el video que quieres mostrar con tu anuncio. Para esto, haz clic en el botón

"Seleccionar video" y busca entre la lista de videos disponibles el que quieres mostrar. También puedes usar el enlace URL, el nombre del canal, o palabras clave para hacer esto más fácil. Querrás asegurarte de que el video que estés promoviendo llamará la atención de tus clientes y te dará más vistas. Usa alguno de los consejos mencionados en los primeros capítulos para determinar cuál video usar.

Cuando trabajes con AdWords para Video, te darás cuenta de que esta herramienta utiliza TrueView. Este es un modelo de marketing que sólo le cobra al anunciante cuando un espectador haya visto activamente el anuncio de tu video. Hay diferentes formatos entre los cuales puedes escoger para crear anuncios TrueView, y estos determinarán el lugar en el que este anuncio se mostrará en la página de YouTube. Es importante seleccionar el que sea mejor para ti, y así obtener los resultados deseados. Los cuatro formatos disponibles puedes escoger en TrueView son:

- Anuncios In-search: estos son los anuncios que aparecerán en la página de búsqueda de YouTube. Los espectadores podrán ver el anuncio, ya sea a un lado o arriba de los resultados de búsqueda, cuando estén buscando contenido similar al tuyo. Solo pagarás cuando alguien haga clic en el anuncio y vea tu video.

- Anuncios In-display: con esta opción, tus anuncios aparecerán junto a los videos sugeridos en YouTube. Los espectadores podrán hacer clic en tu anuncio que aparecerá junto a algún video de YouTube, o en la página principal de un canal, para ver el video. Igualmente, solo pagarás cuando alguien haga clic en el anuncio y vea tu video.

- Anuncios In-stream: son los tipos de anuncios que se reproducen automáticamente antes, durante o después de alguno de los videos de socios de Youtube, que pueden tener cualquier duración. Con estos, puedes colocar un anuncio completo, pero los espectadores tendrán la opción de saltar el anuncio luego de cinco segundos. Solo pagarás por el anuncio cuando alguien vea el anuncio completo o al menos 30 segundos del mismo.
- Anuncios In-slate: este tipo de anuncios se reproducen antes de ver un video de socios de YouTube. Usualmente, estos anuncios se muestran antes de videos con una duración mayor a diez minutos. Antes de que el video empiece, el espectador podrá escoger ver uno de tres anuncios y verlo sin pausa alguna, o simplemente pueden ver el video con pausas comerciales. Solo pagarás cuando alguien haga clic en el anuncio y vea el video.

Como puedes ver, hay diferentes tipos de visibilidad que puedes obtener con cada opción. Algunas te darán más vistas que otras, pero serán más económicas, o simplemente puedes conseguir más vistas y pagar un poco más. Simplemente se trata de lo que te gustaría hacer para llegar a tus clientes y el presupuesto que tienes para ello.

Una vez que escojas el tipo de anuncio entre los formatos anteriores, será tiempo de decidir cómo quieres que el anuncio aparezca a tus espectadores. Los aspectos principales que necesitas definir incluyen un encabezado, una descripción, un enlace URL, la imagen miniatura, y el nombre del anuncio (este último solo será visto por ti, tus espectadores nunca lo verán).

En este punto, deberás establecer tu oferta. Esta es la sección en la que definirás qué tanto estás dispuesto a pagar por anuncio. Notarás que a esto se le conoce como CPV, o Coste Por Visualización. Recuerda que en la mayoría de las plataformas en línea y redes sociales, el espacio publicitario es asignado de acuerdo a estrategias de oferta. Si terminas haciendo ofertas que son muy bajas, no serás capaz de ganar espacio publicitario alguno para tu anuncio.

Hay diferentes modos para ofertar que podrás realizar para este proceso. Puedes escoger entre un modo básico y un modo avanzado. El modo avanzado te permitirá realizar cambios en tus ofertas para cada uno de los cuatro formatos mencionados anteriormente, mientras que en el modo básico mantendrás la misma oferta sin importar el tipo de anuncio que estés usando.

Luego, deberás darle un nombre y asignar el público meta con el que quieres trabajar. Esto no es algo que los espectadores podrán ver, pero te puede ayudar a con la organización de esta campaña, y es algo para considerar en las próximas. A partir de aquí, podrás continuar y determinar quiénes son las personas que verán tu campaña publicitaria, conocidas como tu público meta.

Durante este proceso, también deberás escoger algunas palabras clave. Querrás escoger palabras relevantes para los usuarios con los que estés trabajando. Esto les facilitará el trabajo de encontrarte cuando realicen una búsqueda similar a lo que tú ofreces. Si te resulta difícil decidir que palabras clave quieres usar, deberías hacer una búsqueda rápida sobre los intereses de tu público. También puedes usar el servicio de YouTube conocido como "Obtener sugerencias de Targeting" para seleccionar el público con el que deseas trabajar y ver las palabras clave más relevantes.

Puedes utilizar el mismo proceso para filtrar palabras clave negativas. Estas representaran a los usuarios a los cuales no quieres, bajo ninguna circunstancia, promocionar tu producto o servicio. Por ejemplo, si estás trabajando en un canal que promueve la carne a la parrilla, querrás evitar "vegetariano" como palabra clave.

Por último, necesitarás asegurarte en esta última sección de que le estás proporcionando la información correcta de pago a AdWords. Tus anuncios nunca serán publicados en YouTube si no provees esta información ya que YouTube recibir su pago por cada vista que consigas.

Trabajar con AdWords no es un proceso complicado, aún si nos tomó varias páginas para cubrir este proceso. Como verás, hay muchas sugerencias y cambios que puedes hacer, pero todas estas opciones tienen el fin de ayudarte a llegar a las personas adecuadas. Tómate un tiempo al elegir el mejor espacio para tus anuncios en YouTube, las palabras clave correctas, el video que quieres usar, entre otras cosas, y así será más probable obtener los resultados que buscas obtener con estas campañas publicitarias de AdWords.

Capítulo 9:
Seguir Tu Desempeño con la Ayuda de YouTube Analytics

Una vez que termines de crear tu campaña, usando las herramientas de las que hemos hablado hasta ahora, será tiempo de ver si la campaña está funcionando o no. Ningún especialista en marketing quiere iniciar una estrategia y esperar que las cosas simplemente funcionen por si solas, sin conocer nunca si están llegando al público correcto o no. Aquí es donde entra YouTube Analytics.

YouTube Analytics es una herramienta que te proporciona mucha información sobre el éxito y crecimiento del público, videos, y todo sobre tu canal de YouTube. Si nunca has usado algo como YouTube Analytics, te sorprenderá toda la información que encontrarás dentro de esta herramienta cuando la empieces a usar. Por ejemplo, es posible usar esta herramienta para descubrir exactamente cómo llegaron las personas a tu canal de YouTube, hasta el enlace que utilizaron para llegar. Esta es solo una de las cosas geniales que puedes hacer con YouTube Analytics.

Cómo acceder a YouTube Analytics

Aunque YouTube Analytics es una gran herramienta, debes estar seguro de poder acceder a ella antes de poder disfrutar sus ventajas. En algunas plataformas de redes sociales, descubrirás que es difícil acceder a las herramientas de análisis que poseen. Por ejemplo, solo puedes acceder a los servicios de analítica disponibles en Twitter si les pagas por campañas de marketing. La buena noticia es que el acceso a YouTube Analytics es gratuito y muy simple.

El primer paso es entrar a tu canal personal de YouTube. Una vez allí, solo necesitas seguir el enlace **www.youtube.com/analytics**. Al cargar la página, debes buscar la barra de herramientas. Debería haber una sección de Analítica en la que puedes hacer clic antes de pasar a la vista general.

La vista general es un buen lugar para comenzar. Te proporcionará un resumen de los datos más importantes de tu canal. Puedes darle un vistazo a esta página y descubrir algunas de las tendencias generales de tu canal. Habrá detalles que serán listados en esta vista general. Algunos de estos son:

- Reporte de vistas: este es el lugar al que quieres dirigirte si quieres saber el número de vistas que has recibido con el tiempo. También puedes utilizarlo como una fuente para todos estos reportes y mejorar el foco de tu publicidad.

- Reporte demográfico: con esta sección obtendrás información detallada de tu público. Estos datos serán útiles para perfeccionar el perfil de tu público meta. Algunas de las medidas más relevantes incluyen el rango de edad, ubicación de reproducciones y la distribución de género.

- Reporte de fuentes de tráfico web: este es un reporte que te será sumamente útil. Te ayudará a conocer exactamente cómo un usuario encontró tu video, lo cual puede resultar importante si quieres que tu canal crezca. Por ejemplo, si un blog externo destacó tu video, podrás ver que varias de las vistas vinieron de esa fuente en particular.
- Reporte de retención de público: estos serán los datos más importantes para involucrarte con tu público. Mostrará qué tan involucrado estuvo tu público con el video. Frecuentemente, las personas no estarán tan involucradas a medida que se reproduce el video a menos que esté ocurriendo algo asombroso. Es importante descubrir dónde estás perdiendo a tu público y usar esta información como un método para mejorar tu video.

Luego de que comiences con un nuevo video o campaña publicitaria, deberías darle algo tiempo para que las personas le den un vistazo. No serás capaz de obtener buena analítica a la media hora de haber publicado un video nuevo. La buena noticia es que estos datos se actualizarán constantemente si eres paciente y dejas a la analítica cumplir con su trabajo.

Es una buena idea revisar la analítica regularmente para organizar las cosas y tenerlas listas en el momento adecuado. Hay mucha información que podrás obtener de la analítica y las puedes usar para determinar con qué temas trabajar, los mejores lugares para promocionar, y mucho más. Recuerda que tus videos deben generar algún valor para tus espectadores, así que si ves el compromiso empieza a disminuir, o que no estás obteniendo el número de vistas que buscas, quizás sea tiempo de cambiar las cosas un poco. La analítica te ayudará con esto y podrás ver los resultados en corto tiempo.

Conclusión

Gracias por llegar al final de este libro, esperamos que haya sido informativo y que te haya proporcionado todas las herramientas que necesites para lograr tus metas, sin importar cuales sean.

El siguiente paso es descubrir cómo quieres venderte en YouTube. El tipo de producto que deseas vender hará una gran diferencia en esto, así que debes estar preparado y trabajar en ese primer video. El video que logre atraer a las personas es, a menudo, el mejor punto de partida para tu canal. Muchas personas se preocupan demasiado sobre cómo crear videos para simplemente vender sus productos, y se olvidan de que los clientes quieren sentir un vínculo con su vendedor primero, mucho antes de ver algún producto que esté a la venta.

Este libro tiene toda la información que arrancar con éxito tu propio canal de YouTube. Sin importar qué tipo de producto o servicio estés tratando de vender, debes estar seguro de que estás siguiendo los pasos explicados aquí. Desde entender cómo hacer tu primer video, hasta generar valor para tus clientes, la promoción de los videos, e incluso la promoción de tu propio producto con el transcurso del tiempo, tendrás todo el conocimiento necesario para ver resultados con esta forma única de marketing.

YouTube no es un medio de marketing de cuál te quieras mantener alejado. Hay tantas cosas que puedes hacer en este medio y que son muy efectivas para ayudarte a establecer una relación con tus clientes potenciales. Cuando estés listo para empezar a usar YouTube para todas tus necesidades de marketing, ¡recuerda regresar a este libro y estudia todo lo que necesites saber!

Marketing en Instagram

------ ------

¡Una Forma Perfecta de Hacerse Rico!

Mark Smith

veraz de los hechos y, por lo tanto, cualquier descuido, uso correcto o incorrecto de la información en cuestión por parte del lector será su responsabilidad, y cualquier acción resultante estará bajo su jurisdicción. Bajo ninguna circunstancia el editor o el autor original de este trabajo podrán ser responsables de cualquier adversidad o daño que pueda recaer sobre el lector luego de seguir la información aquí descrita.

Además, la información contenida en las páginas siguientes solo tiene fines informativos, y por lo tanto, debe considerarse de carácter universal. Como corresponde a su naturaleza, el material se presenta sin garantía con respecto a su validez o calidad provisional. Las marcas registradas encontradas en este texto son mencionadas sin consentimiento escrito y, bajo ningún motivo, puede considerarse como algún tipo de promoción por parte del titular de la marca.

Tabla de Contenidos

Introducción

Felicidades por descargar *Marketing en Instagram: ¡Una Manera Perfecta de Hacerse Rico!* ¡Y gracias por hacerlo! Sabemos que existen muchos libros sobre tecnología y redes sociales, ¡y estamos contentos de que haya elegido nuestro libro! Por si no lo ha notado, la tecnología está avanzando rápidamente en todo el mundo. Es muy probable que más de la mitad de las personas a tu alrededor esté en su teléfono celular o laptop en este momento. La gente ya no envía correos a través del servicio postal, en lugar de eso envían mensajes de textos cortos a sus amigos. Algunas personas ya no compran ropa y zapatos en centros comerciales, sino en Amazon. Lo cierto es que los negocios más inteligentes ya han notado esto y lo están aprovechando para maximizar sus ganancias utilizando la tecnología para vender sus productos. Este libro te enseñará sobre marketing en una plataforma social particular altamente popular - *Instagram*. Si prestas atención a nuestros consejos, ¡estamos seguros de que lograrás exponer tu marca y aumentar tus ventas rápidamente!

Primero y principal, en los siguientes capítulos compartiremos contigo la razón por la cual la tecnología es tan importante en el mundo actual. Te introducirán a *Instagram*, una aplicación de redes sociales con más de setecientos millones de usuarios. De allí en adelante, aprenderás los principios básicos sobre crear una cuenta de negocios independiente en Instagram y dominarás los trucos que te ayudarán a interactuar con tus posibles nuevos clientes. Conocerás las diferentes comunidades en Instagram y aprenderás cómo dirigir tu publicidad a las personas que serán más receptivas a tu negocio.

No solo eso, sino que también aprenderás a navegar por el mundo de la publicidad paga y a combinar tus anuncios con las publicaciones corrientes de los demás. Este libro te enseñará cómo hacer una edición básica de fotos y videos, para que puedas refinar la apariencia de tu producto en una imagen.

Finalmente, te mostraremos cómo usar la herramienta “Insight” de Instagram, para que puedas ver a qué tipo de personas les atrae tu producto o servicios, y dirigirte a ese público. Te mostraremos cómo utilizar tu ubicación para comunicarte con las personas cercanas a tu negocio pequeño, ¡y en cuanto a la publicidad, haremos que sea un gran éxito en tu área!

Hay muchos libros en el mercado sobre cómo utilizar las redes sociales para tu beneficio, ¡así que gracias nuevamente por escoger este libro! Esperamos que sea una lectura agradable y útil, ¡y estamos seguros que tu negocio mejorará una vez que pruebes nuestros consejos!

Capítulo 1:
¿Por qué Instagram?

¡Destellos del Pasado!

Como habrás notado, el mundo está cambiando constantemente. El mismo teléfono celular ha dejado de ser algo más grande que la pantalla de tu laptop, y se ha convertido en los diminutos teléfonos inteligentes que usamos hoy día. Sí, claro, puede que las cosas no sean *exactamente* lo que Back to the Future predijo, pero tampoco está tan alejado de la realidad. Día a día, la tecnología altera enormemente nuestro estilo de vida. Nos comunicamos con emoticones, hacemos órdenes en Starbucks desde nuestro teléfono para evitar hacer colas, y compramos las nuevas tendencias de la temporada en línea. La gente se "desplaza por el feed" para ver fotografías de amigos del colegio, darle "me gusta" a los estatus del Facebook de los padres, y "compartir" los memes de moda con los amigos virtuales. Es fácil olvidar que sin el mundo de las redes sociales no tendríamos estas comodidades.

Don't Know Much About History...

Como cantaba Sam Cooke en su famosa canción "What A Wonderful World", hay mucha historia que desconocemos, pero que deberíamos revisar para saber dónde estamos actualmente. Desde los años 1940, han existido prototipos de computadoras, pero nada era lo suficientemente rápido para hacer algo en esa época. Las computadoras convencionales han existido desde los años 1960, Tim Berners-Lee lo cambió todo. Encendió una nueva llama en el mundo de las computadoras al inventar la World Wide Web, o lo que conocemos como "El Internet". No mucho después, nacieron las redes sociales, la primera fue *Six Degrees*, lanzada en 1996. Debido a esto, la gente comenzó a compartir ideas y fotografías con otros que estaban del otro lado del mundo y a conectarse con amigos perdidos que estaban a miles de millas de distancia. Al principio de los años 2000 vimos el nacimiento de las *salas de chat* de *Myspace* y *AOL,* y luego vimos el lanzamiento de *Facebook* y *Twitter* en el 2006, todo el mundo estaba enganchado a algún tipo de red social. Los teléfonos inteligentes solo avivaron este fuego, y de repente, personas que están en lugares muy distantes de nosotros ahora están a tan solo un clic de distancia. A pesar de que estas páginas web de redes sociales fueron un gran éxito, muchas de ellas parecían el capítulo de un libro demasiado largo –solo palabras y ninguna imagen. Claro, había fotos de perfil, pero el objetivo principal de una página de red social nunca fueron las fotografías ni videos. El 6 de Octubre del 2010, dos amigos en San Francisco, Mike Krieger y Kevin Systrom, cambiaron el rostro de las redes sociales para siempre, ese día a la media noche, lanzaron su nueva aplicación, *Instagram.* Una combinación de las palabras "instant camera" (cámara instantánea) y "telegram" (telegrama), la nueva aplicación de red social *Instagram*, permitía a sus usuarios compartir los momentos más importantes de sus vidas con sus amigos virtuales. La aplicación fue un gran éxito. En tan solo un mes, dos millones de personas utilizaban la aplicación. Facebook adquirió la aplicación en el 2012 y continúan mejorando sus funciones. Actualmente, una de sus características sobrepasa el uso de *Snapchat*.

Ahora, ¿Qué Tiene Que Ver Toda Esta Basura De Redes Sociales Con Mi Pequeño Negocio?

El mundo de un hombre de negocios es muy sencillo. Simplemente descubres dónde están los potenciales clientes y promocionas tu producto o servicio allí. Como puedes ver, las personas en los países desarrollados probablemente usan el Internet más de lo que salen de sus hogares. Desde el lanzamiento de Instagram, muchos negocios han comenzado a notarlo, y están implementando la popular red social en sus sistema de marketing. ¡Es fácil de usar, y la ha convertido en una herramienta de publicidad para diferentes organizaciones! Más de cinco millones de negocios alrededor del mundo, incluyendo *McDonald's* y *Lays Potato Chips,* se han subido al tren de Instagram para aumentar el interés en sus productos y encontrar su público meta. Con Instagram, muchos negocios ni siquiera pagan un solo centavo para promocionar sus productos si saben cómo comercializarlos de la manera adecuada.

¡Vaya!... ¿Y cómo hago esto?

El aspecto comercial de Instagram es muy diferente de una cuenta personal que utilizas para conversar con tus amigos. Lo primero que debes hacer es crear un perfil de Instagram Business, separado de tus otras cuentas. La buena noticia es que, a pesar de que promocionar anuncios necesita algo de capital, ¡crear una cuenta para "negocios" o "profesional" es totalmente gratis! ¡Así es como puedes crear tu propia cuenta Instagram comercial!

Paso Uno: **¡Descarga la Aplicación!**

Esta es una muy buena idea si tienes un teléfono inteligente. ¡El primer paso para crear tu perfil es disponer de los medios para hacerlo! ¡Si eres dueño de un iPhone, dirígete a la Apple Store, y si dispones de un Android, ve la Google Play Store para descargar la aplicación gratis! Una vez este instalada, ¡abre la aplicación!

Paso Dos: **Asegúrate de Tener un Correo Electrónico Activo para Negocios.**

Es más sencillo recibir actualizaciones de posibles clientes o socios comerciales que sigues a través del correo electrónico, si los separas de tu correo personal. Además, cada cuenta requiere un correo electrónico asociado. La ventaja de asociar un correo electrónico exclusivo para negocios es que puedes encontrar todos tus contactos de trabajo (compañeros, clientes, jefes con los que te mantienes en contacto) fácilmente a través de la función "Encontrar Amigos" en Instagram. Otra alternativa es que puedes proporcionar un número de teléfono en lugar de un correo electrónico, si no está asociado a otra cuenta, en caso de tener más contactos de trabajo en los contactos telefónicos.

Paso Tres: **Abre la Aplicación y presiona *Registrarse***

Usa el correo electrónico que has creado o el nuevo número de teléfono que tienes.

Paso Cuatro: **Introduce la Información de Contacto Correcta (y Asegúrate que sea la Correcta)**

No hay problema con introducir tu primer nombre y apellido verdadero. Puedes convertir a Perfil de Empresa una vez que ha sido creada tu cuenta actual.

Paso Cinco: **Selecciona una Foto de Perfil**

DEBES ser estratégico con esto. Hay un botón +Foto en la página. Haz clic para agregar tu fotografía. Asegúrate de que esta es una imagen que puedes reconocer aún en tamaño miniatura, y de que está relacionada con tu empresa. Una buena fotografía para utilizar podría ser el logo de la empresa si tienes uno, o quizás una mascota de la compañía. Lo mejor es evitar una fotografía personal, ya que te representa a ti más que a la empresa.

Paso Seis: **Selecciona un Usuario Relevante**

Puede ser el nombre de tu empresa, o puede ser algo que la represente. Elige algo que sea fácil de encontrar. Cuando otras personas busquen tu negocio en algún motor de búsqueda, quieres que sean capaces de encontrar tu cuenta oficial para negocios o empresas.

Paso Siete: **Vincula tu Cuenta en Facebook y Encuentra Personas para Seguir**

Instagram querrá que vincules tu cuenta de Facebook para que puedas conectarte con las personas que ya conoces. Ten en cuenta que para cambiar cualquier cuenta a una cuenta para negocios, también se requiere de una cuenta en Facebook, ¡así que asegúrate de vincularla, ya sea una cuenta para negocios o personal! Ahora puedes empezar a seguir a tus amigos de Facebook que están afiliados también con tu cuenta para negocios.

Paso Ocho: **¡Confirma tu Correo Electrónico!**

Muchas de las funciones de Instagram están desactivadas si no han confirmado que tu correo electrónico te pertenece realmente, así que debes ir al correo que vinculaste y verificar que es tu verdadero correo.

Paso Nueve: **Ahora que Realmente estás en la Aplicación con una Cuenta Operativa, ¡Cambia a un Perfil de Empresa**!

En la parte inferior de tu pantalla, verás una barra con cinco íconos. El primero es tu página de inicio, el segundo es para buscar más usuarios y el tercero es para hacer publicaciones. El cuarto te permite ver tus actividades, mientras que el último te permite ver tu perfil. A un lado del botón "Editar Perfil", hay un pequeño icono que parece una rueda. Presiona ese botón y desplázate. Bajo la opción "Usuarios Bloqueados" veras un botón que dice "Cambiar a Perfil de Empresa". ¡Presiona ese botón y estarás listo para comenzar!

Paso Diez: **Coloca Tu Dirección Cuando Sea Solicitada, Y También Tu Correo Electrónico Y Número Telefónico**

Habrá un botón "Enviar mensaje" en tu perfil para quienes deseen hacer preguntas, ¡y esta es la forma más sencilla de permitirles ponerse en contacto contigo!

Paso Once: **¡Haz tu Primera Publicación**!

Ahora que tienes los elementos básicos configurados, ¡estás a una publicación de comenzar la aventura de tu vida! Ahora serás capaz de cultivar y hacer crecer tu negocio en la red social. ¡Asegúrate de que tu primera publicación sea para presentar tu empresa y atraiga a clientes potenciales! ¡Puedes tomar una foto de tus oficinas, un producto que sientas que a todos les encantará, o algunos miembros de tu equipo!

Paso Doce: **¡Comparte la Primera Publicación en otras Redes Sociales como Facebook y Twitter!**

¡Presiona los tres puntos debajo del comentario de tu foto luego de hacer tu primera publicación! ¡Allí podrás conectar tu publicación de Instagram con muchas otras redes sociales reconocidas, aumentando tu base de seguidores potenciales! ¡Ahora que has comenzado a publicar, revisa el icono del corazón en la parte inferior de la barra para ver a quien le ha gustado tu publicación, quien te ha seguido, o mencionado!

Una vez que tengas la cuenta, asegúrate de manejarla a diario y revisar tu buzón de Mensajes Directos, ubicado en la esquina superior derecha, en caso de que alguien desee hacerte cualquier pregunta. Puedes informar a tus amigos más cercanos sobre la cuenta, y ellos pueden ayudar siguiéndola para atraer más personas a la página. ¡Felicidades!

Ahora que esto está listo, te mostraremos cómo sacar provecho de los beneficios que traen las redes sociales. No tienes que pagarle a Instagram para que nuevas personas conozcan sobre tu negocio –simplemente tienes que saber cómo encontrar personas interesadas y mantener su atención. ¡El siguiente capítulo te convertirá a ti y a cualquiera en tu empresa en la mariposa social más nueva en la cuadra!

Capítulo 2: TÚ Eres la Nueva Mariposa Social de Instagram: ¡Formas de Conectarte con Nuevos Clientes que Nunca Habrías Imaginado!

Ahora que conoces todo sobre el Nuevo mundo del Instagram y los principios básicos para crear una cuenta, es momento de que aprendas cómo sacar el máximo provecho de esta aplicación sin gastar un solo centavo. ¡La publicidad pagada no es la única forma de tener éxito! Probablemente te preguntarás cómo puedes seleccionar con éxito a las personas adecuadas a quienes vender y acumular una gran cantidad de dinero, pues, aquí hay algunas maneras infalibles que pueden ayudarte a incrementar tu público en segundos...

Asegúrate de que Tu Biografía/Información de Contacto Es Correcta

Antes de que las personas vean tus publicaciones, te juzgarán por cómo te presentas en tu perfil. Para las cuentas de empresas, es crucial tener toda la información de contacto correcta, esto es: nombre, dirección, número telefónico, todo. Si alguien intenta contactarte y no te puede encontrar, se molestará. Adicionalmente, asegúrate de tener una frase biográfica convincente que describa con exactitud lo que haces. Si la frase es provocativa e interesante sería una ventaja adicional. Necesitas explicar lo que tu marca o empresa ofrecen y dejarlo claro. Luego, incluye un enlace a tu propia página web. Todo esto puede cambiarse con el botón "Editar perfil".

Encontrando Cuentas con Productos Similares/Intereses Comunes e Interactuar con Estas

En tu aplicación de Instagram hay una barra de herramientas inferior con cinco funciones. Haz clic en la lupa, el segundo botón de izquierda a derecha. Esta es tu página de "Buscar". Puedes utilizar el buscador para buscar empresas similares a la tuya, ver sus seguidores y seguir a esas personas para captar su atención. Por ejemplo, si tienes un negocio de guardería, puedes ver clubes de padres en tu ciudad y seguir a las personas a quienes les están gustando esas publicaciones. Probablemente llegarás a alguien que esté interesado en tu negocio o servicios. También puedes enviar mensajes a esas personas y enviar ofertas especiales para tu empresa o negocio a través de una Cuenta de Instagram para Empresas. Las posibilidades son infinitas, lo que me lleva al siguiente tema. Una vez que encuentras a estas personas, es fácil comenzar una campaña publicitaria "Share for Share" (Comparte a cambio de ser Compartido) con un compañero de negocios.

"Share for Share": Compartir a cambio de ser Compartido

Una vez que has creado tu cuenta y hecho publicaciones, habrá gente a quienes les gustarán y/o dejarán comentarios. Contacta a esas personas y envíales mensajes, pregúntales si están dispuestos a compartir una publicación promocionando tu cuenta a cambio de hacer lo mismo por sus empresas y negocios. La mayor parte del tiempo, los negocios clandestinos o que aún no son tan populares aceptarán esta propuesta. Es como tener una publicidad paga sin tener que pagar en realidad. Tu mejor opción es buscar otra cuenta con una cantidad de seguidores similar (por ejemplo, si apenas estás comenzando y tienes alrededor de cien seguidores, busca otra cuenta con cien seguidores), eso aumentará las probabilidades de que acepten tu proposición. Puedes pedirles que compartan tu publicación a través de un mensaje en su perfil o un Mensaje Directo (el buzón de correos en la esquina superior derecha en tu aplicación Instagram). "Share for Share" aumenta la publicidad en tu perfil y puede ayudarte a obtener un compañero de negocios.

Saludos

Un saludo es una publicación agradeciendo a un cliente por algo que hizo. Si vez que alguien adquiere muchos productos en tu tienda y no les importa ser fotografiados frente a la tienda o ser mencionados en Instagram, ¡tómale una foto, súbela, y agradécele por su compra! ¡Menciona su nombre en la cuenta! Muchos clientes aprecian que te tomes el tiempo para conocerlos y brindarles tu atención.

¡Arranca Tu Negocio Con la Tendencia Más Reciente: Etiquetar ("Hashtagging")!

¿Qué son las etiquetas ("hashtags") y por qué usarlas?

Quizás te preguntes qué es una etiqueta, o tal vez ya has escuchado sobre ellas. Después de todo, una pareja llamó a su bebé "Hashtag" en el 2012. Primero fueron utilizadas en Twitter, pero también se han trasladado a Instagram. Las etiquetas son cualquier palabra después de un símbolo de "#" (el símbolo de numeral), eso coloca una publicación dentro de una categoría. Por ejemplo, el dueño de una heladería podría usar la simple etiqueta "#comida" para llamar la atención, y el Presidente de American Eagle podría crear una nueva etiqueta como "#AEO" (American Eagle Outfitters) para representar su compañía. Las etiquetas se pueden colocar en la descripción de las publicaciones de Instagram para que las personas puedan buscar publicaciones en la categoría que deseen ver. De acuerdo a un experimento y estudio de "Medición Sencilla", ¡las publicaciones obtienen un 12,6% más de actividad cuando se utilizan las etiquetas! Existen estrategias para usar las etiquetas, ¡y te enseñaremos cómo hacerlo!

¿Cuáles son los diferentes tipos de etiquetas que puedo utilizar?

Etiquetas de Marca de Fábrica (Marca)

Muchas personas sugerirían que selecciones una etiqueta popular o que esté dentro de las tendencias actuales, pero las etiquetas de marcas se quedan en la mente de tus clientes potenciales y los ayudan a recordarte. Existen algunos consejos que te ayudarán a crear una etiqueta memorable. Primero, sugerimos que sea corta y precisa. No querrás usar palabras complejas que ocasionen que tus clientes se equivoquen al escribir tu etiqueta cuando hacen alguna publicación, ¡así que asegúrate de usar palabras sencillas y fáciles de escribir! Una vez que has definido el nombre de una etiqueta, puedes usarla en Instagram y muchas otras redes sociales.

Un ejemplo de una etiqueta de marca es la campaña de Coca Cola "#ComparteUnaCocaColaCon" ("#ShareACoke"). Con honestidad, cualquiera que haya prestado atención a la comunidad de comida en Instagram probablemente conoce esta etiqueta ya que es tan sencilla y memorable. Cuando Coca Cola lanzó al mercado sus botellas y latas con el sello "Comparte una Coca Cola con", crearon esta etiqueta para que los amigos pudieran mostrarse en internet cuando alguien encontrará una bebida con el nombre de la otra persona. Poco después, la gente comenzó a publicar una gran cantidad de imágenes de Coca Colas, ¡ayudando a la publicidad de la compañía sin gastar dinero extra! Esta etiqueta es el ejemplo perfecto de una etiqueta sencilla y relevante que muchos pueden recordar. Todavía hoy, muchos años después de su lanzamiento, la gente continúa utilizando esta etiqueta para hacer publicaciones artísticas de Coca Cola en su perfil. ¡Esas publicaciones podrían hacerte desear una Coca Cola ahora mismo!

Las etiquetas de marcas son buenas si tienes una idea creativa y quieres mantener un eslogan que te haga destacar entre la multitud, pero como todo, siempre tienes la opción de utilizar otro tipo de etiqueta. Quizás desees considerar crear otra etiqueta si quieres vincularla a un descuento, concurso o alguna otra campaña.

Etiquetas de Concursos y Campañas – ¡Artículos y Publicidad Gratuita Atraen MUCHOS Clientes!

También puedes interactuar con tus seguidores y hacer que compartan tu producto en la web empleando una etiqueta de campaña. Los concursos o campañas se ofrecen con frecuencia por pequeñas empresas o marcas grandes para llamar la atención. Los premios pueden variar, desde una muestra de tu producto, dinero en efectivo, o la oportunidad de ser destacado en tu página web si tienes suficientes seguidores. ¡Esto no solo te permite exponer tu marca, sino que además crea una sensación de comunidad entre todos tus fanáticos!

Un buen ejemplo de este tipo de etiquetas es la campaña de Ben and Jerry's "Capture Euphoria" que lanzaron en el 2012. Con cientos de miles de seguidores, la cadena de helados utilizo "#captureeuphoria" para unir a los amantes de helados de todo el mundo. La idea era tomar una foto única con tu helado (fuera una selfie o la foto de alguien más), subirla en Instagram y compartir con el resto del mundo tu felicidad al comer helado. Al usar esta etiqueta, las personas que participaban tenían su foto subida automáticamente en una gran galería web. Las mejores fueron exhibidas en la cuenta oficial de Instagram de Ben and Jerry's y en los periódicos locales. ¡Las mejores veinte fotografías fueron destacadas en sus anuncios publicitarios profesionales! Aunque este concurso no ofrecía una recompensa monetaria, las personas que deseaban exhibir sus fotografía participaron, ¡tanto comprando helado de su compañía como haciendo publicidad en línea para todos sus amigos la vieran! ¡Simplemente debes crear un concurso, hacer una publicación, y tus seguidores harán el trabajo por ti!

Luego discutiremos otro tipo de etiquetas con los cuales podrías estar más familiarizado.

Etiquetas de Moda – Etiquetas que Dependen de Ocasiones Especiales, La Temporada o Fecha, Etc.

Las etiquetas de moda son sencillas. ¡Son etiquetas populares para un día en particular! Por ejemplo, si vendieras bikinis con la bandera Americana para el 4 de Julio, podrías promocionar tu publicación con la etiqueta #4deJulio una semana antes de la festividad. Un ejemplo popular de esto es "#SelfieSunday" ("#DomingodeSelfie"). En internet, a muchos jóvenes y adultos les encanta publicar selfies los domingos utilizando esta etiqueta. Si tienes una empresa de ropa, puedes usar esto para tu beneficio al incluirla en tu descripción, para que así a las personas que les gusta ver las selfies del domingo de otros te puedan ver a ti también. No es buena idea usar solo esta etiqueta, ya que muchas personas la utilizan y será difícil encontrar tu publicación diez minutos después de publicarla. Sin embargo, no es mucho trabajo agregar al menos una de estas etiquetas al final de tu descripción. Quién sabe, una persona más viendo tu publicación es publicidad adicional.

Etiquetas Diarias, Comunes y Sus Usos

También existen etiquetas que todo el mundo usa. Estas son las etiquetas que no son exclusivas para las empresas, como por ejemplo "#café" o "#yoga". Aunque estas etiquetas no atraigan mucha publicidad por la cantidad de personas viéndolas, aún pueden llegar a algunas personas. Sin embargo, como empresa o negocio, debes saber que las personas que desean el tipo de producto que vendes pueden observar estas etiquetas para ver qué opciones tienen. Por ejemplo, si eres dueño de un café local, puedes tomar una foto de tu famoso mocaccino y usar la etiqueta "#mocaccino" para atraer a más aficionados del café.

Esto es Particularmente Importante para Pequeñas Empresas – ¡Uso de Etiquetas Geográficas para Tu Beneficio!

Incluso si vives en un lugar, podrías no conocer todas las pequeñas empresas en el área. Afortunadamente, al etiquetar el lugar o ciudad en la cual se encuentra tu negocio, los clientes tienen una mayor probabilidad de encontrar tu local cuando necesiten tus servicios en particular. Por ejemplo, si vives en la Ciudad de Nueva York y tienes una tienda de computadoras allí, puedes usar la etiqueta "#NYC" y hacer una publicación sobre tus servicios para que la gente local sepan dónde te encuentras en medio de una ciudad agitada y con un montón de personas. En el instante en que los locales sepan de tu negocio y se enamoren de tus servicios, hablarán sobre ello a sus amigos y correrán la voz sobre tu negocio en la comunidad. El dinero empezará a llegar por sí solo.

Entonces, ¿Cómo Encuentro Etiquetas Populares Para Usar?

Usa la pagina de "Buscar" en tu Instagram (segundo botón en la barra de herramientas inferior) para buscar publicaciones similares a las tuyas. Esta página te muestra publicaciones en función de las personas que sigues, las publicaciones que te gustan y las personas que interactúan contigo en Instagram. Aquí puedes encontrar las etiquetas que las empresas de tu entorno están utilizando, y las etiquetas que las personas vendiendo productos similares están usando. Lo cierto es que buscar las etiquetas que tus competidores están usando no solo te ayudará a determinar cuántas y cuáles etiquetas usar, sino que también te dará la oportunidad de ver los productos de otros y ver de qué forma puedes mejorar el tuyo.

¿Cómo Puedo Ver Si Mi Etiqueta Está Funcionando?

Cuando alguien publica una descripción con una etiqueta, la etiqueta siempre aparece en color azul, en vez de negro. Esto se debe a que es un enlace. Un vez que haces clic en la palabra etiquetada, ¡podrás ver todas las publicaciones que asociadas a esa etiqueta! Esto es de gran utilidad si estás haciendo seguimiento a una etiqueta que creaste específicamente para tu marca o para un concurso.

¿Cuántas Etiquetas Puedo Utilizar?

¡Puedes utilizar tantas como quieras! Muchas personas utilizarán de una a cinco para evitar hacer "spam" con una etiqueta.

Las etiquetas son una manera de aumentar la visibilidad y atraer personas con un interés en común a tu empresa, ¡sin costo alguno!

Mencionar, Etiquetar y Mensajería Directa (También conocido como "DMing"): ¡Hazle Saber a tus Fanáticos y Socios que los Aprecias!

Ahora que estamos en el tema de las descripciones (con etiquetas), también es importante tomar en cuenta que "mencionar" o "etiquetar" a tus seguidores en tus publicaciones pueden aumentar tu visibilidad y hacerte más accesible como empresa.

Al publicar una imagen, hay una opción llamada "Etiquetar Personas". Aquí regresas a la imagen y puedes tocar un rostro u objeto para etiquetar otra cuenta, haciéndoles saber que has hecho una publicación. Puedes etiquetar personas en fotos y etiquetar clientes leales en una publicación relacionada a un producto. Es tu elección, pero esta herramienta te permite mostrar a todos las personas relacionadas con tu publicación.

Mencionar es otra opción que puedes emplear como un especialista en marketing de Instagram. Al escribir una descripción o comentario en tu propia publicación o en la publicación de alguien más, puedes presionar la tecla "@" y continuar con el usuario de alguien para mencionarlo. ¡Esto te permite notificar a otra persona que necesitas decirle algo!

Finalmente, hay un pequeño ícono cerca de la esquina superior derecha de tu pantalla llamado "Mensaje Directo". Puedes usar esta función para enviarle mensajes privados a quien quieras. Puedes utilizarlo para hablar sobre negocios con empresas asociadas, o para responder preguntas a clientes fieles o nuevas personas.

Instagram Live (en Vivo): Es como la TV, Pero Solo Para Tu Empresa

¿Te gustaría si la gente pudiera ver lo que está haciendo tu empresa o negocio a una hora específica? ¿O si tu empresa pudiera tener su propio programa como *The Bachelorette* o *Grey's Anatomy*? Esto es posible gracias a una característica agregada en el 2016, llamada *Instagram Live*. Al desplazarte a la izquierda y luego cambiar a la opción "vivo", puedes crear y transmitir un video a tus seguidores. Instagram notificará a tus seguidores que estás haciendo una transmisión en vivo. Mientras transmites, las personas que están viendo el video pueden comentar o preguntar, y darle "me gusta" a lo que estás haciendo. Ahora probablemente te preguntas el porqué se necesita transmitir en vivo para promocionar tu negocio o empresa. Para empezar, con este método se aumenta tu visibilidad/publicidad y te hace destacar ante la competencia. También puedes entablar una relación cercana y personal con tus seguidores. ¡Hay un montón de cosas que puedes hacer con la función Instagram Live!

Aquí hay unas cosas que deberías hacer antes de comenzar una transmisión en vivo con Instagram Live:

- Conocer la información acerca de tu empresa. Si alguien te hace una pregunta, debes estar preparado para responderla completamente. Si tienes un empleado que maneja esta información, también puede encargarse de esta tarea. ¡Conoce tus productos de pie a cabeza!

- Vístete profesionalmente para que las personas te tomen en serio.

- ¡Debes hacer publicidad antes de iniciar la transmisión! Publica o promociona la transmisión a las personas que conoces y estén cerca. No querrás comenzar una transmisión en vivo, tomarte el tiempo para hacerlo, y que nadie la vea.

- Si se trata de un tutorial o de un tour sobre tu empresa, ¡ensaya lo que dirás! Prepárate como si estuvieras dando un discurso público a miles de personas porque eso es básicamente lo que estás haciendo (solo que por internet). ¡Recuerda que tú eres el representante de tu empresa cuando estás en vivo!

A continuación verás algunas formas de sacar provecho a esta herramienta...

Inicia Sesiones de Preguntas y Respuestas y Pregúntale a los Clientes que Desean

La magia de Instagram Live es que permite conectarte con tus fanáticos o seguidores cara a cara. Esto significa que no tienes que pasar por correos electrónicos, mensajes de texto, llamadas o enviar fotos y videos solo para responder una pregunta. Pueden comentar la pregunta durante la transmisión en vivo, y responderla allí mismo. Entonces no serán los únicos en tener la respuesta a esa pregunta, sino que otros se beneficiarán también. A menudo los clientes te dejarán un "corazón" que representa un "me gusta", cuando sus preguntas sean respondidas. Antes de la sesión de Preguntas y Respuestas, puedes hacer una publicación para informar a tus clientes y socios acerca de la fecha y hora en la que harás la transmisión. Instagram Live (, a diferencia de las historias de Snapchat o de Instagram) no tiene un límite de tiempo mínimo o máximo. Esto significa que la sesión puede durar el tiempo que desees. Y además, hay un registro de cada persona que vio tu video. De esta forma puedes saber quién está realmente interesado en tu empresa y/o en los productos que estás vendiendo. Esto te ayudará a determinar tu público y hacer seguimiento a los clientes leales.

Sesiones de Guías Practicas y Otros Tutoriales para Empresas de Cocina, Tutorías, Entrenadores Deportivos, Profesores de Música, etc. – ¡Capturando Tu Trabajo en Acción!

Este está dirigido mayormente a quienes ofrecen servicios en lugar de productos. Con frecuencia, la gente antes de escoger los servicios que ofrece una persona, da un vistazo para ver quién es el mejor en lo que ofrece. ¡Muéstrales a tus clientes lo que tienes! Haz que se enamoren de la forma en la que haces las cosas y que te paguen por enseñarles cómo hacerlas.

Por ejemplo, si eres entrenador de un club de fútbol, puedes transmitir un video de una práctica y así las madres podrán ver cómo enseñas a los niños antes de que decidan inscribirlos en tu programa durante un año. Si eres una estilista profesional en Sephora, puedes grabar a un cliente (con su permiso) y mostrarle a todos lo que puedes hacer. Si haces un buen trabajo, las chicas irán corriendo a tu puerta para que hagas el maquillaje para su boda, graduación o evento especial. Si eres dueño de un negocio de comida y quieres hacer un video especial para enseñar a tus clientes cómo hacer un plato específico, puedes transmitir en vivo el proceso de preparación. Si tienes un trabajo como tutor o maestro, puedes transmitir un video dando una clase para que las personas puedan ver tu estilo y decidir si les gusta tu forma de enseñar. Esto permite a las personas obtener una sensación personal acerca de tus servicios aun cuando no están contigo.

Para hacer esto, necesitarás tener tu teléfono en un lugar fijo, como un soporte o trípode. A pesar de que probablemente necesites comprar un trípode, hay muchos beneficios en esta inversión. Las personas conocen con exactitud lo que están adquiriendo, ¡así que están más inclinados a escogerte por encima de alguien de quien no saben nada!

¡Presenta un Producto Nuevo a través de Instagram Live!

Los clientes no siempre se percatan de los nuevos productos, incluso si los colocas en la tienda. Sin embargo, la mayoría de las personas revisan el internet todos los días. Con Instagram Live, cada seguidor es notificado de la transmisión en vivo, así que es sencillo informar a las personas todos los detalles acerca de un producto que de otra forma habrían pasado por alto. La función de comentarios les permitirá a las personas interesadas preguntar lo que deseen conocer sobre tu producto, ¡y podrás presentarlo de la manera más sencilla! Esto puede hacer que la comunidad hable de tu producto, y

¡no es menos efectivo que cualquier comercial que puedas ver en televisión! Incluso puedes dar tu número telefónico y permitirles comprar el producto directamente y al instante, o puedes vincularlo a un sitio web que les permita hacer pedidos si eres capaz de enviar los paquetes a sus casas. De lo contrario, siempre pueden recogerlos en la tienda. Si estas vendiendo juguetes, ¡adelante, muéstrales a las personas todas las nuevas funciones! Si estas vendiendo maquillaje, ¡busca una modelo y aplica ese lápiz labial en ella! ¡Una vez que vean tu producto en uso quedarán maravillados!

¡Descuentos, Descuentos, y más Descuentos! Cómo Usar el Amor de las Personas por las Ofertas, ¡y Convertirlo en Ganancias!

¡Gasta cincuenta dólares en una tienda y obtén diez dólares de descuento! ¿Quién compra un montón de cosas que probablemente nunca usará cuando hay un cupón de por medio? Seamos honestos, todo el mundo lo hace. Con Instagram Live, de vez en cuando, puedes ofrecer a tus clientes un código de descuento que solo pueden obtener cuando ven tu historia en vivo. Cuando la gente escucha acerca de esto (y no saben cuando se hará entrega de un cupón nuevo), ¡verán tu historia cada vez que transmitas en vivo! Esto te da la oportunidad de atraer más espectadores a tu historia, aumentando tu publicidad.

"Es una Vida Dura para Nosotros" - Muestra a Tus Clientes tu Trabajo Diario - ¡Has tu Negocio más Accesible!

¿Te has preguntado qué hace un negocio tras cámaras? Los clientes nunca dejan de pensar sobre el proceso de fabricación de los productos que compran. ¡Puedes usar esto para atraer su atención en tu historia de Instagram! ¡Siempre es interesante conocer a las personas que manejan un negocio! Es como la bienvenida en un concierto – haz que tu negocio parezca divertido y accesible, ¡y deja que las personas sepan lo que haces a diario! Cuando haces esto, es más probable que los clientes te vean más como una empresa o negocio amigable, y menos como alguien que solo está detrás de su dinero. Esta es una experiencia muy aleccionadora, y no tienes que preocuparte sobre una filtración de información, ¡porque no es una grabación sino una transmisión en vivo! ¡Quizás a la gente le guste como manejas tu negocio tanto que querrán ser tus futuros empleados! Nunca se sabe.

Recuerda que Instagram Live aumenta tu visibilidad y publicidad. Con tantas personas conociendo tu empresa, ¡se incrementarán tus ventas si sabes cómo usar esto apropiadamente! Pero si prefieres que tu anuncio de transmisión en vivo este por más de una hora, tal vez quieras considerar las Instagram Stories (Historias de Instagram).

Instagram Stories: Un Anuncio de Veinticuatro Horas

¿Qué tal si deseas publicar algo en tu feed pero no sientes que es suficientemente importante? Instagram notó este problema, y crearon una función llamada Instagram Stories (Historias). Esta característica fue añadida a Instagram en el 2016. Haciendo de Instagram algo parecido a la aplicación Snapchat. Si hay algo que deseas compartir, pero crees que no es tan relevante como para estar en una publicación individual, publicar una historia es la alternativa perfecta.

Cómo Funciona

Los videos que publicas pueden tener una duración máxima de quince segundos, pero pueden ser más cortos si así lo deseas. Puedes publicar tantas fotos y videos como quieras. Lo que publiques estará en línea por veinticuatro horas. Si crees que la foto o video original no es tan interesante, puedes agregar filtros y stickers, texto, emoticones, o algún dibujo. Lo que publiques estará en la barra superior de tus seguidores en la aplicación de Instagram, y lo pueden ver o ignorar si así lo desean. En los primeros seis meses del lanzamiento de "Historias", ciento cincuenta millones de personas ya habían esta función. Y su popularidad ha aumentado tanto que quizás ya haya sobrepasado los inicios del Snapchat.

¿Cómo Puedo Publicar una Historia?

Así es como publicas una historia en Instagram: Ve a la aplicación y desplázate a la derecha en tu página de inicio. Allí podrás acceder a la cámara de historias. Puedes publicar una foto normal de un producto para promocionarlo, o puedes ir a "Boomerang" y publicará tu foto en pequeños fragmentos con un efecto escalonado para un look dramático. También hay un botón de rebobinar si deseas reproducir un video en reversa solo por diversión, y una opción para grabar a manos libres.

Cuando termines, puedes darle al botón siguiente y enviarlo a tu historia, y ya está listo. También puedes desactivar el flash si estas tomando fotos de equipos electrónicos o a la luz del día. Y si no te gusta la publicación, puedes darle al botón X y comenzar nuevamente.

- Filtros: Puedes deslizarte a la derecha después de tomar la foto y agregar un filtro. Estos suelen pulir la imagen y si es una foto de tus empleados, ¡seguramente te lo agradecerán!

- Opciones de Dibujo y Creatividad: Para dibujar sobre tu imagen o agregar algún comentario con tu propia letra, puedes hacer clic en el ícono que parece una pluma en la esquina superior derecha de la página. Una vez que estas allí, puedes seleccionar cualquier color y decidir qué hacer.

- Agregar Fuentes o Texto: Presiona el botón "Aa", ¡ahora puedes añadir pequeñas descripciones sobre tu imagen! Puedes colocarla en cualquier lugar de la imagen.

- Stickers: ¡En Instagram hay una gran variedad de stickers para escoger! Existen más que solos tradicionales emoticones a tu disposición. También los hay de acuerdo a tu ubicación, la hora y mucho más.

- En el futuro, ¡serás capaz de agregar ENLACES a la imagen en tu historia! Por ahora, esto se encuentra en prueba beta y solo está disponible para ciertas cuentas.

Instagram Stories puede ser utilizada para lo mismo que Instagram Live. Quizás sea más sencillo comenzar con promociones o cupones mediante las Historias, ya que solo permanecen por veinticuatro horas.

Ahora conoces las bases necesarias para interactuar con tus clientes en línea. Con las personas adecuadas administrando tu cuenta de Instagram, puedes presentarte como un negocio amigable y accesible, y promocionar nuevos productos, servicios, u ofertas disponibles. Sin embargo, a pesar de todos los beneficios del marketing en línea, a veces es necesario pagar publicidad para promover tu negocio en su etapa inicial. En el próximo capítulo, te enseñaremos a navegar por el mundo de la publicidad paga en Instagram, te informaremos sobre los costos y sus beneficios, y mostraremos los deferentes tipos de anuncios que puedes crear.

Capítulo 3:
Publicidad Paga: Cuando invertir Algo de Dinero se Transforma en Grandes Ganancias para Ti

Instagram ofrece un mundo de posibilidades en cuanto a publicidad mediante sus opciones pagas. Lo bueno de la publicidad paga es que cada anuncio se incorpora al "feed de noticias" de la persona, haciéndolo difícil de ignorar cuando parece una publicación normal. Además, Instagram es muy inteligente. Una vez que has pagado por un anuncio, se aseguran de que tu publicidad llegue a tu "público meta", o a los tipos de persona que deseas alcanzar (¡claro, para llevar al máximo las ganancias de tu negocio!).

No hay otra cosa en lo que desees invertir más tu dinero que en un anuncio de Instagram. Ya la gente muy rara vez lee periódicos o revistas, y la mayoría de las personas usan el internet para comprar lo que necesitan. Esto facilita hacer publicidad en las redes sociales, que sigue siendo más económico que los anuncios en los periódicos. Lo cierto es que si deseas gastar dinero en una red social, es mejor para ti hacerlo en Instagram. Estudios han demostrado que tiene la comunidad más activa, sobrepasando a Facebook y Twitter.

Aunque, debes recordar que Facebook adquirió Instagram hace cinco años, así que cada anuncio en Instagram pasa por el

Administrador de Anuncios de Facebook Afortunadamente para ti, el Administrador de Anuncios de Facebook tiene un proceso muy sencillo, y toma solo unos minutos realizar un anuncio.

Existen diferentes tipos de anuncios, ¡por lo que voy a mostrarte cada uno de ellos antes de enseñarte cómo ponerlos en marcha!

1) Anuncios de Fotos: Estos anuncios son promocionados tanto con una descripción como con una imagen natural o editada/creativa de tu elección. Estos son los tipos de anuncios más básicos, y puedes crear uno a través de cualquier aplicación para cámaras o de edición de fotos.

2) Anuncios de Videos: Puedes crear un video de hasta sesenta segundos para reproducir como un anuncio. Se integrará con las demás publicaciones (de quienes sigan) que la persona ve. Estos videos pueden estar acompañados con audio, así podrás describir un producto en su totalidad o preguntar a tus seguidores cómo mejorar tu empresa.

3) Anuncios por Secuencia: ¿Una sola imagen no es suficiente para describir los objetivos de tu empresa o para promocionar tu oferta actual? ¡Crea un anuncio por secuencia, donde puedes publicar hasta diez imágenes en una sola publicación! De todas formas, es mejor seleccionar los Anuncios por Secuencia solamente porque te permite publicar múltiples

imágenes. ¡Esto te ayudará a sacar el mayor provecho de lo que pagas!

4) Anuncios en Instagram Stories (Historias): Son similares a las historias de Snapchat. Cuando navegas por las historias de tus amigos, puedes encontrar una historia "Patrocinada" que parece salir de la nada. Estas son anuncios de historias pagas, y puedes crear una para tu empresa o negocio también. De esta manera, todos pueden ver tu anuncio antes de ver la historia de su amigo.

Cómo Crear un Anuncio en Instagram

Antes que nada, necesitas crear una Página en Facebook. Esto puede hacerse a través de tu cuenta personal de Facebook, y esta página estará vinculada a tu cuenta empresarial de Instagram. Es difícil indicarte un precio definitivo de lo que tu anuncio costará ya que depende del objetivo final de tu anuncio y de a quién está dirigido.

Hay dos formas populares que las personas utilizan principalmente para comenzar a crear anuncios en Instagram.

- El Administrador de Anuncios (en Facebook). Esta es una guía paso a paso en Facebook que te ayuda a generar un anuncio. Por una parte, te preguntará acerca de tu "objetivo de marketing". Puedes elegir si deseas difundir el nombre de tu marca o si dejas que el anuncio "llegue" a nuevas personas que no lo han visto antes. Luego debes decidir el objetivo principal de este anuncio y más. ¿Quieres que las personas vayan a un enlace diferente y no a Instagram (por ejemplo, a una página de ventas)? En ese caso, selecciona "Traffic Ad" (Anuncios para aumentar tráfico en el sitio web). También puedes dirigir el anuncio a un espacio donde la gente hable más sobre el producto mediante comentarios, "me gusta" y "compartir", a esto se le conoce como Compromiso, si deseas esto, selecciona "Engagement Ad" (Anuncios de Compromiso). Existen muchas más opciones, pero una vez que has seleccionado la tuya, ¡es momento de crear el anuncio! Te pedirán que suministres alguna información, incluyendo tu dirección, la moneda que usas, y la zona horaria donde te encuentras. Esto es para que puedan ajustar tus anuncios al público adecuado. Hablando de tu público, el próximo paso es seleccionarlo. Puedes enfocarte en la ubicación, edad, y género, de las personas que desees que vean tu anuncio. También puedes escoger dirigir el anuncio a las personas de acuerdo a tu idioma. Quizás la herramienta más útil para este Administrador de Anuncios es la función "Segmentación Detallada". Aquí puedes adaptar el anuncio para cualquiera con un interés específico. Por ejemplo, McDonald's adapta sus anuncios para "amantes de la comida rápida" o "amantes de las papas fritas". También puedes enviar el anuncio a personas que les guste otra página específica. Esto te da una ventaja sobre tus competidores porque si tu negocio es otro café local, puedes promocionar tu anuncio a todos los que dieron "Me Gusta" al perfil de Starbucks' en Instragram. Lo más importante viene luego. Ahora debes establecer tu presupuesto. Por ejemplo, puedes establecer un presupuesto diario de diez dólares para que tu empresa nunca gaste más de diez dólares al día en publicidad. Esto te ayudará a ahorrar dinero y lograr visibilidad para tu empresa al mismo tiempo, buscando la forma más eficiente de comenzar un negocio. Después de eso, vincula tu cuenta en Instagram con tu Página en Facebook, ¡y listo! ¡Tu anuncio está publicado y las personas empezarán a ver tu empresa en muy poco tiempo!

- El "Power Editor": Esta opción también se encuentra en Facebook, y es muy sencilla de usar. Una vez que accedes al Power Editor, presiona "Crear Campaña". Ingresa tu información y básicamente te lleva de vuelta al Administrador de Anuncios. Luego ingresas toda tu información y presupuesto, justo como en el Administrador de Anuncios normales. La mayoría de las personas usa el Power Editor para manejar distintos anuncios a la vez.

Consejos para Sacar Provecho a los Diferentes Tipos de Anuncios

1) Para anuncios de fotos, asegúrate de que sean sencillos y directos. En una imagen no hay mucho espacio para expresar tu mensaje, así que menos es más. Agrega stickers, escritos y texto, pero no los hagas tan grandes y desconcertantes que desvíen la atención de tu producto.

2) Coloca un enlace en tu anuncio, y vincúlalo directamente a la página web de tu empresa. Ve a tu

anuncio y presiona "Promocionar", y paga para colocar el enlace a tu página web en el anuncio. Esto permitirá a las personas ir directamente a la página para comprar tu producto si les ha gustado.

3) Usa anuncios por secuencia para contar una historia. Hazlo interesante. Nadie quiere escuchar sobre una herramienta de limpieza y cómo se ve, pero si cuentas una historia como una madre soltera con tres niños la utilizó para simplificar su ajetreado horario, de la nada, la gente sentirá empatía por ella, y prestará más atención a tu producto.

4) La gente pasará de largo tu anuncio si es descarado, de la misma forma que colgamos una llamada para vender un producto de manera agresiva. Integra tu anuncio con el feed del Instagram de las personas y haz que se mezcle.

5) Mantén consistencia en tus anuncios y que se vean similares. Ayuda a tu marca que las personas vean una imagen y sepan que es de tu empresa o negocio.

6) Usa Videos. No muchas personas tienen el tiempo y la paciencia para crear un video, eso hace que los videos se destaquen de entre miles de fotos por las que se pasean las personas cada día. Los videos son muy útiles –si vas a gastar dinero en tu anuncio, entonces muéstrale a tus clientes lo que tu producto puede hacer. Pon a prueba esa bicicleta eléctrica y graba a un montón de modelos divirtiéndose mientras viste tu marca de bikini. Cuando

la gente ve a otros pasar un buen rato con tu producto, ¡estarán más inclinados a comprarlo!

7) Agrega un botón de Llamada a la Acción - Una Llamada a la Acción (Call To Action) es un truco sencillo que puedes añadir a tus anuncios para permitir a los clientes presionar un botón e ir directamente a una página web o una página para descargar una aplicación. No tienes que decirle a las personas que visiten el enlace en tu biografía para una promoción. ¡Activa una llamada a la acción y un simple botón los llevará al enlace!

8) ¡Utiliza Etiquetas! También necesitas usar etiquetas en los anuncios, no solo en las publicaciones normales. De esta forma, le recuerdas a las personas la etiqueta de tu marca, o pueden encontrarte mediante una etiqueta común. ¡Siempre es bueno incluir una etiqueta!

Capítulo 4: ¡Magia De Fotos y Videos! Cómo Vender Tu Producto Usando El Súper Poder de la Edición

Seamos honestos. De la misma forma que a nadie le gusta ver una stripper fea, nadie quiere ver anuncios simplones y repetidos. Parte de vender tu producto es empacarlo de la manera correcta, parte de tener un anuncio exitoso en Instagram es hacerlo bien. Es por esto que la edición de fotos y videos es tan importante en esta era tecnológica. Si no se ve bien, muchos clientes ni siquiera le darán la oportunidad a tu producto antes de mandarlo a la basura. Este capítulo te enseñará las bases de la edición de fotos y videos a través de algunas aplicaciones populares gratuitas, que ayudarán a que tu producto se vea lo más prolijo posible. Cuando sabes cómo vender tu producto, las personas se suscribirán constantemente para obtenerlo.

Existen muchas aplicaciones para editar fotos. Claro, no quieres editarla al punto en que la gente no pueda reconocer al modelo que está usando tu ropa o producto. Sin embargo, una edición adecuada puede hacer que tus productos se vean de mayor calidad.

Comenzaremos con VSCO, la aplicación de edición de fotos más popular en la comunidad de Instagram. Esta aplicación está disponible tanto en la Apple Store, como en Google Play Market. ¡Lo mejor es que es totalmente gratuita! Aunque algunos ven esta aplicación como un blog de fotografías solamente, tiene diversas opciones para editar fotos que pueden ayudar a dar un look profesional a tu producto o servicio. Ni siquiera necesitas acceder a la parte de blog. Cuando abras la aplicación por primera vez, crea una cuenta para acceder a todas sus funciones. Luego aparecerá una ventana con un símbolo positivo (+). Presiona el símbolo + para importar tu foto, y comenzar a hacer la edición. Cuando tu foto es subida, selecciónala y luego presiona el botón con dos líneas en la equina inferior izquierda. Esto inicia el proceso de edición.

FILTROS: Son especialmente útiles si estás promocionando una empresa de moda (como una agencia de modelaje) o una empresa de viajes que requiere tomar fotografías escénicas del mundo. Al principio cuando subes la imagen en el editor, esta es la primera función a la que te llevará. Debes seleccionar uno que funcione y luego hacer clic en el. Luego elige la intensidad de la imagen. Los círculos a la izquierda significan que el filtro es más tenue, y los círculos a la derecha significan que es más intenso. Elige la que más te guste. Hay una serie de filtros gratuitos disponible en VSCO, pero si deseas los otros debes pagar.

BRILLO Y CONTRASTE: Presiona nuevamente el botón con dos líneas y haz clic en Contraste. Esto te permitirá cambiar la intensidad de la luz en algunas partes de la imagen y viceversa. Debes aumentar esto si deseas que tu producto principal resalte en la imagen.

EXPOSICIÓN: Este es básicamente para añadir una luz blanca / luz solar a una imagen. Esto puede ser necesario si estás tomando una foto de una playa soleada y deseas un efecto más dramático. Cuando termines, presiona la marca de verificación y ve a la siguiente función.

ENDEREZAR: Puedes ajustar la imagen si la tomaste con un pequeño ángulo y corregir esto al instante. ¡De esa forma, tu producto está en el centro y nada distraerá al espectador! Simplemente mueve la barra de izquierda derecha para enderezar tu imagen.

PERSPECTIVA HORIZONTAL/VERTICAL: Esto es similar a la herramienta para enderezar. Se enfoca en el ángulo en que tomaste la foto.

RECORTAR: ¡Esto es muy importante para los anuncios de fotos! Puedes usarla para recortar las fotos al tamaño de Instagram. Aunque Instagram suele tomar anuncios de diferentes tamaños, es mejor usar el tamaño tradicional.

HERRAMIENTAS DE ACLARADO, ENFOQUE y SATURACIÓN: Estas sirven para agregar color y hacer que tu anuncio sea más claro de lo que podría haber sido.

VIÑETA: Esto añadirá un efecto dramático a tus fotos de viajes si estás en ese negocio, o quizás a la fotografía de un elegante restaurant o un servicio de modelaje. Utiliza esto para tu beneficio ya que agrega un pequeño borde oscuro a la imagen Esto hace que te enfoques en el objeto central.

El resto de las herramientas de VSCO no son realmente importantes para la edición de anuncios fotográficos, pero ten en mente estas herramientas y estarás listo. No querrás modificar la foto al punto de que se vea completamente falsa y opuesta a lo que intentas vender. Pero estas herramientas pueden ayudar a mejorar tu producto lo suficiente para que quien estuviera pensando en adquirir tu producto o servicio, podría terminar de tomar su decisión y comprarlo.

También existe otra aplicación que puedes usar. Aunque tiene un costo de cuatro dólares aproximadamente, esta aplicación permite editar tus fotos y colocar texto en ellas también. La buena noticia que es coloca el texto por ti de forma creativa, y no tienes que invertir mucho tiempo editando la foto. Esta aplicación se llama "Over" y está disponible tanto para Android como iPhone. Esto es principalmente una aplicación de tipografía o un editor de texto, también puede ser muy útil si intentas diseñar un anuncio pago.

Si prefieres una aplicación sencilla que se enfoque más en brillo y contraste, quizás prefieras una aplicación llamada Afterlight. Disponible para iOS, Android y Windows. Esta aplicación te permite cambiar el color, saturación y el ángulo de la imagen de una forma excelente. Solo cuesta noventa y nueve centavos.

Tener un Estilo Consistente para tu Empresa o Negocio en Instagram

Aunque es divertido experimentar con distintos filtros y fuentes, puede tornarse un tanto irregular si estás tratando de desarrollar tu marca. Será difícil para la gente reconocer tus publicaciones entre la multitud, y no serán tan memorables si solo editas a tu antojo. Para tener un cierto look característico, tienes que diseñar tu feed de Instagram de la misma forma que harías con una habitación en tu casa. Todo debe verse impecable y tener cierto estilo. ¡Lo bueno es que puedes elegir tu estilo!

En primer lugar, debes decidirte por un "tono" o "sensación" específica para toda la página. ¿Quieres que sea alegre o sombrío? Esto realmente depende del tipo de producto que vendes. Por ejemplo, si tienes una tienda de productos de belleza y maquillaje, probablemente no deberías tener una página con una vibra escalofriante como una casa embrujada.

Luego debes elegir algunos filtros característicos que usarás para tu empresa. No significa que debes escoger solo uno, pero probablemente sea mejor si cada una de tus publicaciones es refinada usando uno de los cinco filtros para mantenerlo sencillo y memorable. Si lo deseas, puedes dejar a un lado los filtros y adoptar un look natural en las fotografías.

Con textos, puedes crear una marca de agua empresarial si lo deseas. Si es mucho trabajo, podrías considerar mantener las fuentes en tus publicaciones con las mimas dos o tres fuentes para que tus publicaciones conserven un estilo único.

Finalmente, deberás elegir un esquema de colores. Idealmente, debe ser los colores de tu empresa, pero intenta ser constante con esto. De esta forma, si alguien ve esos colores juntos, recordarán automáticamente tu producto y empresa. ¡La idea es no entretenerte tanto con la edición que no puedas mantener un estilo reconocible!

Conceptos Básicos de Adobe Photoshop

A veces, un programa de edición en un teléfono celular no es suficiente, y deseas crear un anuncio más artístico para un producto o evento especial. Adobe Photoshop es el programa principal de edición fotográfica si quieres crear los anuncios más hermosos. La desventaja es que el programa es costoso, pero si tu empresa puede costearlo, es una muy buena herramienta para crear anuncios. El programa tiene una versión de prueba gratuita de treinta días, en caso de que solo te interesa hacer unos pocos anuncios oficiales y nunca más usar el programa después de eso.

Así es como se utilizan algunas de las funciones básicas ubicadas en la barra de herramientas de Adobe Photoshop.

- HERRAMIENTA DESPLAZAMIENTO (Presiona la letra V en el Teclado para activarla) – Esta función tiene la forma de un puntero y unas flechas de movimiento. Haz clic en esta y puedes arrastrar cualquier cosa en tu pantalla y moverla a otro lugar.

- HERRAMIENTA RECORTAR (Presiona la letra C en el Teclado para activarla) – Esta función tiene la forma de un cuadro con los bordes largos y una diagonal atravesándolo. Ingresa las dimensiones que deseas una vez que presionas este icono, y la acción se ejecutará. Esto es útil para hacer que todos tus anuncios tengan el tamaño perfecto para Instagram.

- LA VARITA MÁGICA (Presiona la letra W en el Teclado para activarla) – Esta función tiene la forma exacta de una varita. Sirve para eliminar cualquier cosa alrededor de un punto con un color similar. Esto es útil si deseas reemplazar un color por otro o cambiar el fondo en una imagen.

- TAMPÓN DE CLONAR (Presiona la letra S en el Teclado para activarla) – Esta función tiene la forma de un sello. Lo puedes utilizar para remover a alguien de una fotografía (como un photobomber que interfiere con la imagen de tu producto). Toma el fondo alrededor y hace que un área de la imagen se combine con el fondo.

- OPCIÓN PINCEL Y LÁPIZ (Presiona la letra B en el teclado para activarla).

- BORRADOR (Presiona la letra E en el teclado para activarla) – Se explica por sí misma. Puedes mover el ratón sobre lo que desees borrar, y listo.

- BOTE DE PINTURA (Presiona la letra G en el teclado para activarla) – Esta función tiene la forma de un bote de pintura derramada. Puedes utilizarla para rellenar el fondo con un color sólido o degradado (como pasar de blanco a verde, o de azul a púrpura, etc.).

- HERRAMIENTA TEXTO (Presiona la letra T en el Teclado para activarla) – Para empresarios como tú, esta quizás sea la herramienta más importante que puedes usar en un anuncio. Esta función tiene la forma de una "T" grande en la barra de herramientas. Puedes seleccionar la fuente que desees, el tamaño y girarlo como te parezca. Esto es muy útil si deseas colocar el nombre de tu empresa, producto o la promoción directamente en tu imagen, en lugar de colocarlo en una descripción que tal vez la gente no lea.

- HERRAMIENTA FORMAS (Presiona la letra U en el Teclado para activarla) – Esto te permite crear figuras geométricas con las cuales diseñar tu anuncio. Tiene la forma de un rectángulo en la barra de herramientas.

- HERRAMIENTA LAZO (Presiona la letra L en el Teclado para activarla) – Esta función tiene la forma de un pequeño pájaro de papel intentado volar. Esta función te permite "esconder" o seleccionar un objeto con forma extraña y sacarlo de la imagen seleccionando alrededor de sus esquinas. Esta herramienta es más difícil de usar pero muy gratificante si sabes cómo usarla bien.

- HERRAMIENTA MANO (Presiona la letra H en el Teclado para activarla) – Es lamentable admitir que algo tan sencillo pudiera ser la herramienta más útil de Photoshop. Se ve exactamente como suena –tiene la forma de una mano de Mickey Mouse gigante. Puedes usar esta herramienta para tomar cualquier cosa que hayas hecho y removerlo de la imagen si no te gusta dónde está ubicada. También puedes mover las cosas con esta herramienta.

- HERRAMIENTA ZOOM (Presiona la letra Z en el Teclado para activarla) – Esta función tiene la forma de una lupa. Te permite ver las cosas más pequeñas en la imagen. Puedes usarla para editar los detalles más delicados de una imagen.

Existen muchas otras herramientas en Photoshop y toma años dominarlas, pero si conoces estas herramientas estarás listo para hacer un simple anuncio.

Finalmente, un truco más para trabajar con Instagram. Ahora que se puede ampliar las fotos, una imagen de tu producto se puede ver muy bien si tienes que hacer zoom para ver cómo es realmente. Esta es una forma diferente de hacer publicaciones y captar la atención si sabes hacerlo correctamente.

¡Ahora que sabes cómo hacer que tus anuncios se vean bien y cómo empaquetarlos, necesitas saber cuándo publicar esas fotos en las que trabajaste tanto!

Capítulo 5: ¡Demografía, Ubicación y el Momento Oportuno! Dirígete a las Personas Adecuadas y Estarás Listo.

¿Cuándo debo hacer una publicación? ¿Sabrán las personas a mi alrededor que he hecho una publicación? ¿Cuándo están viendo realmente sus aplicaciones de redes sociales? ¿Acaso estoy siendo insoportable y hago demasiadas publicaciones? Todas estas son preguntas que necesitan una respuesta para poder identificar cuándo hacer una publicación, y sacarle el máximo provecho a tu marketing/campaña publicitaria.

Ante todo, necesitar saber cómo hacer seguimiento para ver qué tan bien funcionan tus publicaciones. Cuando accedes a Instagram, presiona el quinto botón (el último a la derecha) en la barra de herramientas inferior. Esto te llevará a tu perfil. Debes hacer clic en ese botón y luego ir a la parte superior de la barra de herramientas donde está tu usuario. Junto a tu usuario, debe haber unas barras (un ícono que se ve como un gráfico de barras). Presiona ese icono. Este es tu botón de "Instagram Insights", y te mostrará mucha información acerca de tus seguidores y su compromiso. Te mostrará qué tan bien están funcionando tus publicaciones e historias, y qué tipo de personas (género, edad, ubicación) las prefieren más. Esto te ayudará a decidir a quiénes enfocar tus anuncios y productos la próxima vez. Allí puedes ver tus impresiones, que es el número de personas que han visto tus publicaciones, incluso si no han hecho nada.

Con honestidad, no basta con solo conocer la demografía de tus seguidores. Quizás no sepas esto, pero puedes utilizar tu ubicación geográfica para impulsar tus ventas y ganar publicidad en Instagram.

El Mundo de las Etiquetas Geográficas: Geotagging

Cada celular tiene un localizador dentro de él. No es una conspiración gubernamental. En realidad se trata de un chip GPS que te ayuda a navegar el mundo en que el vives. Gracias a esto, "geo tagging" (hacer etiquetas geográficas en) tus publicaciones de Instagram es sencillo. Geotagging es básicamente un término elegante usado para compartir tu ubicación con alguien más (tus coordenadas de latitud y longitud en un mapa). No te preocupes por divulgar tu ubicación accidentalmente, ya que Instagram no la compartirá en tus publicaciones a menos que tú lo decidas.

Entonces ¿Cómo agregas una geotag a una publicación? Aunque no lo creas, es algo muy sencillo. Cuando subes una foto, puedes presionar inmediatamente "Agregar Ubicación" y seleccionar una ciudad o lugar. Tu ubicación aparecerá como texto debajo de tu usuario en tu publicación actual.

¡Esto es muy conveniente ya que puedes hacer clic en esa ubicación y ser dirigido inmediatamente a todas las diferentes publicaciones que se han hecho antes en ese lugar! Esta es una gran herramienta.

Sin mencionar que puedes listar tu empresa como una etiqueta geográfica. Cuando presionas “Agregar Ubicación”, selecciona el botón “ubicación personalizada” y agrega tu tienda a la base de datos de Instagram. De esta forma todos los que han estado en tu tienda pueden etiquetar las fotos de ellos mismos en tu tienda, o la foto de los productos que han adquirido, ¡y compartirlas con sus seguidores! ¡Cualquier cliente frecuente que haga clic en la etiqueta geográfica de tu negocio podrá ver tus nuevos productos y ofertas, y cualquiera que no sepa nada sobre tu negocio ahora sabrá qué ofreces! Si tienes un evento especial y los clientes lo etiquetan geográficamente, ¡pueden traer nuevos clientes a tu puerta!

Crear una geotag es lo primero que puedes hacer por tu empresa si quieres que tus clientes comiencen a publicar sobre los productos que adquieren.

¿Con Cuánta Frecuencia Debo Publicar y Cuándo Debo Hacerlo Para Llegar a la Mayor Cantidad de Personas?

Debes publicar lo suficiente para que la gente recuerde que existes, pero no tanto que alejes a los potenciales clientes pensando que solo estás haciendo spam.

Si publicas una foto de tu nuevo producto a las dos de la mañana, probablemente no obtengas ninguna vista, “me gusta” o comentarios en las horas siguientes a tu publicación. Como en un juego de ajedrez, publicar en Instagram requiere estrategia, y hacerlo en el momento apropiado es una de las cosas que debes dominar si no quieres perder el tiempo haciendo publicaciones que nadie verá.

A diferencia de Facebook, Twitter o incluso tu propio correo electrónico, la mayoría de las personas revisan Instagram varias veces al día. Es una aplicación fácil de revisar durante el día porque es mucho más fácil desplazarse a través de un feed de fotografías que uno con un montón de palabras. Sin embargo, existen unas horas pico.

De acuerdo a un estudio llevado a cabo por SumAll, debes publicar entre las 5 y 6 de la tarde, de lunes a viernes. En este momento es cuando normalmente las personas salen del trabajo y van a comer, así que suelen tener un momento para revisar sus teléfonos y desplazarse por su feed de Instagram.

Aun con esta información, es bueno recordar que es importante que veas tus publicaciones y cuándo tu comunidad y seguidores acceden a Instagram. Cuando vas al botón "Instagram Insights", puedes ver cuando la gente está dando "me gusta" y comentando tus publicaciones. Puede que desees atender a tu clientela una vez que hayas establecido una comunidad que apoye tu pequeña empresa o negocio.

Otra cosa que debes recordar al momento de publicar es la consistencia. Nadie quiere seguir una cuenta empresarial que no hace muchas publicaciones, sin importar qué tan buena sea la empresa. Nadie recordará tu cuenta si solo publicas una vez al mes. De hecho, según blogs en Bufferapp, Union Metrics se percató de que las empresas que publican una o dos veces al día atraen a una mayor audiencia e interactúan con una mayor cantidad de personas.

¿Publicar Fotos de Personas Incrementa Mi Compromiso?

¡Sí, totalmente! Todas las empresas deben publicar fotos de sus clientes o empleados de ser posible. Estudios han demostrado que publicar fotos de personas ayuda a atraer más comentarios y "me gusta" que si no lo haces.

¿Cómo Escribo Subtítulos Que No Molesten A Las Personas?

Los subtítulos (también conocidos en Instagram como Descripciones) son una de las cosas más delicadas de Instagram. Debes limitar los subtítulos a tres líneas legibles, ya que después de los 2200 caracteres Instagram no muestra tu subtítulo por completo. Los mejores subtítulos tienen alrededor de tres etiquetas y dicen algo ingenioso acerca del producto. De esa forma, la gente lo recodará.

Enfócate en el Público más Joven

Esto es particularmente útil si tienes una empresa que principalmente presta servicios a jóvenes. La mayoría de los usuarios de Instagram son jóvenes adultos entre 18 y 30 años. Debes recordar esto cuando al momento de crear tus anuncios y decidir cuánto invertir en publicidad de Instagram.

Capítulo 6: ¡Ven A Ganar! Geniales Concursos que te Ayudarán a Tener Éxito cuando Ya Tengas Todo Preparado

Si alguien te ofrece una barra de chocolate (o tu platillo favorito) y te dice que puedes tenerlo si haces un salto de tijeras, ¿lo harías? Estoy seguro que sí. Seamos honestos, a la gente le gusta las cosas gratis, incluso si tienen que hacer algo tonto para obtenerlas. Y sobre todo, a la gente le gusta ganar. Es por esto que para una cuenta de empresas o negocios, tener concursos es algo necesario. De acuerdo a un estudio llevado a cabo por Tailwind, una empresa asociada con Instagram, el 91% de las publicaciones con más de mil comentarios están relacionadas con algún tipo de concurso. Esto puede tomar algo de tiempo, ¡pero son tu mejor opción de marketing!

Parte de esto fue analizado en el Capítulo 2, pero existe una variedad de concursos que pueden hacer crecer tu empresa todavía más. Los concursos te ayudan a interactuar con tus clientes. Sirven para hacer publicidad entre tus valiosos clientes. Mantiene a tu comunidad interesada y también ayuda a correr la voz a personas que quizás desconocen tu servicio o producto. Ni siquiera necesitas gastar mucho en el premio. En ocasiones, hasta los premios más pequeños atraerán a las personas. Tu mejor opción es ofrecer crédito en tu tienda, ya que eso significa que el dinero regresa a ti de todas formas (en el caso de que tu negocio sea vender productos).

1) Sube tus propios concursos de fotografías – Este es el mejor truco que puedes usar para que tus clientes te hagan publicidad. Si tienes una agencia de viajes, puedes hacer que las personas suban fotos de sus aventuras más emocionantes por la oportunidad de ganar un cupón de $100 para alguno de tus tours. Eso también significa que deberán gastar la diferencia en tu empresa –y no en la competencia. Si tienes un restaurante de comida italiana, puedes hacer que las personas suban fotos de recuerdos felices comiendo pizza por un chance de ganar pizzas gratis en tu restaurante por un mes. Aunque al principio pierdes algunos suministros y/o dinero, probablemente ganarás un cliente leal. Sin mencionar que la gente conocerá sobre tu negocio si apenas estás comenzando al momento de promocionar estos concursos.

2) Loterías tipo "¡Dale 'me gusta' para Ganar!" – Este depende del azar, pero hace que mucha gente le dé "me gusta" a tu publicación, y esto hace que muchos de sus amigos la vean en su página "Buscar". Puedes hacer una campaña donde las personas tengan que darle "me gusta" a tu foto para participar en un concurso. Luego escoges a un ganador al azar y le ofreces algún premio. Es mejor si obsequias algo que tu empresa venda, ya que no solo hace publicidad a tu página sino también al producto.

3) “Completar”, Concursos de Adivinar, o de Dejar Comentarios – Puedes saber quién conoce más sobre tu producto o empresa organizando uno de estos concursos. Quizás puedas premiar aquellos que respondan correctamente con un cupón, o presentar sus perfiles en tu pagina de negocios. De todas maneras, es una forma entretenida de mantener interesada a la comunidad.

4) Obsequios por “Mencionar un Amigo” – Esta es la forma más sencilla de hacer que las personas que no han escuchado de tu marca prueben un producto. Simplemente le dices a alguien que publique una imagen de tu producto o junto a él (dependiendo de si es comida, una prenda de vestir, o parte de una colección). Luego de publicarlo, la persona deberá mencionar a un amigo en la publicación y seguir la cuenta de la tienda. Eso los califica automáticamente para concursar, y puedes seleccionar un ganador a través de un sorteo al azar.

5) Concursos de Fotografía en la Tienda o “Selfie” – Esto funciona mejor si en realidad tienes una tienda física donde vender tus productos. Haz que las personas que van a la tienda se tomen fotos y las suban con una etiqueta por una oportunidad para ganar algo. Esto no solo sirve para atraer a las personas a tu tienda, sino que también harán publicidad en línea para tu empresa, y eso beneficiará al negocio a largo plazo, incluso si solo regalas algo pequeño. ¡También puedes destacar a tus clientes en la página que sepan cuanto los aprecias!

Mientras a más clientes les gusta la administración de una empresa o negocio, es más probable que regresen, aún si tu producto no es mejor que el de la competencia.

Toma tiempo manejar los concursos en Instagram y pueden ser un dolor de cabeza. Sin embargo, es la forma más rápida de llegar a todas las personas con quienes desees conectarte si solo tienes un negocio pequeño. Ahora que sabes cómo crear una cuenta en Instagram para empresas y negocios, y tienes todo preparado, esta es la mejor manera de que tu clientela siga creciendo y aumentar la popularidad como producto. No olvides asociar cada concurso con una etiqueta particular, sino será difícil hacer seguimiento de las publicaciones.

¿Cómo Organizas un Buen Concurso? Aquí Tienes Algunos Consejos.

1. Asegúrate de que las reglas estén claras, ¡así no habrá ninguna discusión sobre quién ganó o cómo participar! Lo peor que puede suceder es que dos personas comiencen una discusión. Te hace ver desorganizado como empresa o negocio, y quizás debas entregar dos premios en vez de uno si no logras determinar quién ganó en realidad.

2. Crea una página web para el concurso si es lo suficientemente grande para que las personas puedan entrar al mismo desde allí.

3. ¡Evita que tu concurso dure más de un mes! Puede ser agotador, y quizás te de pereza seguir organizándolo

por un tiempo muy largo. Además, la gente podría olvidarlo y se pierde la intención original del concurso, la cual es exponer tu marca.

¡Lo más importante acerca de cualquier concurso es que debes mantenerlo interesante y entretenido!

Ahora que sabes cómo organizar estos concursos, ¡tienes básicamente todo lo que necesitar para comenzar tu empresa o negocio en Instagram hoy! Si podemos resumirlo, diríamos que debes separar tu cuenta para empresas de tu cuenta personal, y así mantener un nivel profesional. ¡Necesitas un estilo definido para tu marca, subtítulos o descripciones ingeniosas, y publicaciones que detallen tu producto! Tu información debe ser la correcta, ¡y no olvides utilizar etiquetas e interactuar con tus clientes! ¡Debes saber reconocer a tu público para enfocarte en ellos y en otros con intereses similares! ¡Recuerda hacer un seguimiento de tu perfil a través del botón "Instagram Insights", crea una ubicación propia en el mapa de Instagram! Una vez que hayas hecho todo esto, puedes comenzar a transmitir en vivo cualquier cosa que suceda en tu empresa o negocio, ¡y responder a todas las preguntas de tus clientes!

Esperamos que este libro te sea de utilidad. Incluso si tienes éxito y logras manejar una empresa con grandes ingresos, que es capaz de atraer a un gran número de clientes, ¡estos consejos te ayudarán a llevar tu publicidad a más personas! ¡La era tecnológica de hoy facilita todo el proceso de publicidad, sin tener que invertir mucho dinero! Comienza hoy a explorar la plataforma de Instagram, solamente está a una descarga de distancia.

Conclusión

Gracias por haber leído *Marketing en Instagram: ¡Una Forma Perfecta de Hacerse Rico!* También queremos agradecer a Instagram por proporcionar una excelente plataforma de conexión social, ¡tan increíble que somos capaces de escribir un libro acerca de todos los pequeños consejos de marketing que podemos usar mediante esa aplicación! ¡Esperamos haberte brindado suficiente información (y más) para hacer de tu empresa o negocio el próximo gran éxito en internet! Recuerda que nuestros consejos no son las únicas formas que existen para presentar tu empresa a todo el mundo. Continúa aprendiendo sobre marketing en línea, ya que seguramente será parte de la vida de cualquier hombre de negocios. Ahora tienes una ventaja sobre tus competidores ya que conoces los consejos recopilados en este libro.

¡Ahora es momento de la acción! Tu tarea es seguir los pasos indicados y aplicarlos a tu empresa o negocio ya, ¡o quizás comenzar una nueva empresa y aplicar estas nuevas estrategias de marketing en Instagram! ¡Asóciate con otras empresas y haz saber a toda la ciudad (y más allá) que tienes algo maravilloso que ofrecer! No hay necesidad de esperar – mientras más rápido empieces, más personas conocerán lo que ofreces, ¡y más dinero llegará a ti!

Si ya te sientes abrumado o sobrecargado por todo el estrés de tu empresa, considera delegar algo de tiempo de trabajo para hacer publicidad en internet. ¡Activa esta cuenta durante las horas laborales con la ayuda de tus empleados! Si puede incrementar la cantidad de personas interesadas en tu negocio, ¡ese día de trabajo extra habrá valido la pena!

¡Te deseamos la mejor de las suertes en todo lo que hagas! ¡Creemos en ti y sabemos que lo lograrás! Si tienes éxito, significa que nosotros también hemos tenido éxito al escribir este libro.

Para finalizar, ¡te agradeceríamos que escribas una reseña en Kindle! ¡Escribir este libro ha representado un gran esfuerzo para que puedas tomar nuestros consejos y te hagas rico! Cualquier comentario es de ayuda para nosotros, y esperamos que este libro sea precisamente lo que estabas buscando para comenzar tu empresa o negocio en línea.

Revisa Mis Otros Libros

A continuación encontrarás algunos de mis libros más populares en Amazon y también en Kindle. Simplemente haz clic en los siguientes enlaces para verlos. También puedes visitar mi página de autor en Amazon para ver otros trabajos de mi autoría.